O LIVRO DE BOLSO DO KAMA SUTRA

SEGREDOS ERÓTICOS PARA AMANTES MODERNOS

NICOLE BAILEY

O LIVRO DE BOLSO DO KAMA SUTRA

SEGREDOS ERÓTICOS PARA AMANTES MODERNOS

Tradução:
Ana Death Duarte

Publicado originalmente em inglês sob o título *The Pocket Kama Sutra – Erotic Secrets for Modern Lovers* por Duncan Baird Publishers Ltd.
© 2006, Duncan Baird Publishers.
© 2006, Texto de Kesta Desmond (pseudônimo: Nicole Bailey).
© 2005, Fotos de Duncan Baird Publishers.
Direitos de edição e tradução para o Brasil.
Tradução autorizada do inglês.
© 2012, Madras Editora Ltda.

Editor:
Wagner Veneziani Costa

Produção e Capa:
Equipe Técnica Madras

Tradução:
Ana Death Duarte

Revisão:
Arlete Genari
Denise R. Camargo

Dados Internacionais de Catalogação na Publicação (CIP)
(Câmara Brasileira do Livro, SP, Brasil)

Bailey, Nicole
O Livro de bolso do Kama Sutra: segredos eróticos para amantes modernos / Nicole Bailey; tradução de Ana Death Duarte. - São Paulo: Madras, 2012.
il.
Tradução de: The pocket Kama Sutra: erotic secrets for modern lovers
ISBN 978-85-370-0327-5
1. Amor. 2. Relações sexuais. 3. Sexo. I. Título.
08-01757 CDD: 613.96
Índices para catálogo sistemático:
1. Kama Sutra: Técnicas Sexuais 613.96

Proibida a reprodução total ou parcial desta obra, de qualquer forma ou por qualquer meio eletrônico, mecânico, inclusive por meio de processos xerográficos, incluindo ainda o uso da internet, sem a permissão expressa da Madras Editora, na pessoa de seu editor (Lei nº 9.610, de 19.2.98).

Todos os direitos desta edição, em língua portuguesa, reservados pela

MADRAS EDITORA LTDA.
Rua Paulo Gonçalves, 88 – Santana
CEP: 02403-020 – São Paulo/SP
Caixa Postal: 12299 – CEP: 02013-970 – SP
Tel.: (11) 6281-5555/6959-1127 – Fax: (11) 6959-3090
www.madras.com.br

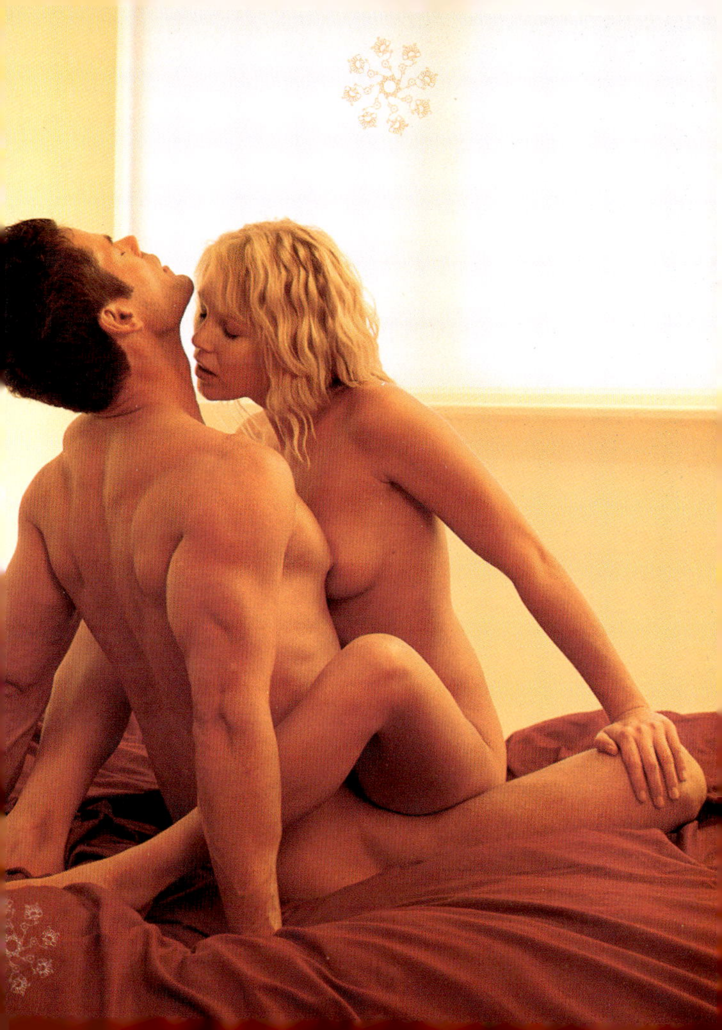

Introdução	8
1 Brando e expressivo	**12**
Posição de amplexo deitado de costas	14
Posição de amplexo lado a lado	16
Posição em abertura completa	18
Posição do caranguejo	20
Explorando os sentidos	22
Posição com pressionamento	24
Posição de acasalamento	26
Amplexo com as coxas	28
Posição transversa	30
Alimento para os sentidos	32
Roda do Kama	34
Amplexo com os pés	36
Posição de arco	38
Posição contrária	40
O passeio sensual	42
Primeira postura	44
Quinta postura	46
Oitava postura	48
Automassagem	50
O ato de união	52
A fusão do amor	54
Décima primeira postura	56
2 Rápido e impetuoso	**58**
Ato sexual de união com apoio	60
Ato sexual de união suspenso	62
Ato sexual de união da vaca	64
Posição vertical, usando os joelhos e os cotovelos	66
Músculos do amor	68
Elevação da perna	70
Nona postura	72
Barriga com barriga	74
Penetração lenta e rápida	76

Índice

3 Intenso e erótico — 78

Posição de grande abertura	80
Posição de grande abertura (2)	82
Posição de égua	84
Posição de Indrani	86
Tipos de toque	88
Posição pressionada	90
Posição semipressionada	92
Posição de elevação	94
Pose de elefante	96
Dando prazer à yoni dela	98
Posição com as coxas pressionadas	100
Grande abelha	102
Posição com as pernas cruzadas	104
Dando prazer ao lingam dele	106
Segunda postura	108
Quarta postura	110
Sexta postura	112
A visão mútua das nádegas	114

4 Ousado e penetrante — 116

Posição de envoltório	118
Fixando o prego	120
Partindo um bambu	122
Posição de lótus	124
Proezas com a boca para ela	126
Posição de levantamento	128
Posição sentando no topo	130
Terceira postura	132
Sétima postura	134
Proezas com a boca para ele	136
Décima postura	138
Cavalgando o membro	140
Puxando o arco	142
Índice Remissivo	144

Introdução

Mencione o *Kama Sutra* e muitas pessoas pensarão em posições para fazer amor de forma audaciosa e técnicas de sexo exóticas. Não há dúvida de que o *Kama Sutra* contenha tais técnicas e posições – entretanto, possivelmente a lição mais valiosa encontrada em suas páginas é a de que o sexo é uma ocasião especial. Em vez de relegar o sexo ao final do dia, quando você cai exausto(a) na cama – como muitos dos amantes modernos fazem – o *Kama Sutra* trata-o como sendo um ritual. Você prepara seu ambiente, seu corpo e sua mente e, então – o mais importante de tudo –, você domina o tempo em relação ao sexo. O *Kama Sutra* presta atenção aos aprazíveis detalhes do ato de fazer amor: o modo como você beija, a maneira como você mordisca ou arranha a pele de seu(sua) amante, até mesmo o ângulo e a velocidade que o pênis se move dentro da vagina.

O QUE É O *KAMA SUTRA*?

Muito pouco se sabe a respeito do homem por trás do *Kama Sutra*. Seu nome é Vatsyayana Mallanaga e pensa-se que ele viveu na Índia entre os séculos I e IV d.C. Sua coleção de sutras (um sutra é um aforismo) foi escrita em sânscrito e toma a forma de sete livros. A palavra *kama* significa prazer, desejo ou sexo.

Introdução

Acredita-se que Vatsyayana foi o compilador do *Kama Sutra*, em vez de ser seu criador. Sua fonte foi uma existente estrutura ordenada de textos eróticos Hindus. Ao contrário da crença popular, somente um dos sete livros do *Kama Sutra* é especificamente sobre sexo – os outros seis lidam com os comportamentos nos relacionamentos eróticos, desde as diretrizes sobre como seduzir uma virgem até como extrair dinheiro de um amante.

Embora o *Kama Sutra* seja extremamente antigo, ele era desconhecido no Ocidente até 1883. *Sir* Richard Burton e Forster Arbuthnot foram os responsáveis por sua primeira tradução do sânscrito para o inglês. A publicação de literatura ou trabalho artístico representando temas eróticos era altamente controversa na Inglaterra Vitoriana, assim sendo, Burton e Arbuthnot criaram sua própria editora, a Kama Shastra Society. Os leitores (essencialmente eruditos e cavalheiros de classe alta, com um gosto por literatura representando temas eróticos) compravam o livro por meio de assinatura privada. Na década de 1960, a revolução sexual, combinada com a moda envolvendo tudo que era indiano, significava que o *Kama Sutra* não somente havia se tornado aceitável, como também era celebrado por sua franqueza sexual. Ele foi publicado formalmente na Inglaterra e nos Estados Unidos em 1962.

O *ANANGA RANGA* E *O JARDIM PERFUMADO*

A Kama Shastra Society seguiu em frente e publicou mais dois textos orientais sobre o amor: *Ananga Ranga* e *O Jardim Perfumado*.

O *Ananga Ranga* foi escrito originalmente na Índia, no século XV, por Kalyana Malla. Ao contrário do *Kama Sutra*, o conteúdo do *Ananga Ranga* é todo sobre sexo. Malla incluiu listas detalhadas de métodos de abraçar, beijar, arranhar, morder e dar palmadas, bem como posições para fazer amor. Os maridos eram os leitores-alvo, e o objetivo de Malla era o de descrever todas as formas de os homens manterem um casamento *sexy*.

O objetivo de *O Jardim Perfumado* era também o de estimular e manter a paixão, entretanto, para todos os homens e mulheres – não somente àqueles que eram casados um com o outro. Escrito por Sheikh Nefzawi na Tunísia do século XV, o texto de *O Jardim Perfumado* é considerado mais poético, erótico e com mais humor no estilo do que o *Kama Sutra* ou o *Ananga Ranga*. Seu assunto inclui as características de homens e mulheres sexualmente desejáveis, as maneiras como excitar uma mulher antes do sexo, posições sexuais e listas completas de diferentes tipos de genitais masculinos e femininos.

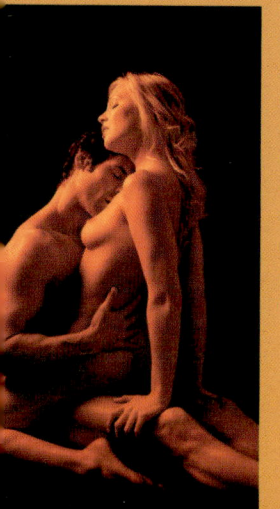

O *KAMA SUTRA* DE BOLSO

Meu livro combina a sabedoria de Vatsyayana, Kalyana Malla e Sheikh Nefzawi com *insights* modernos na sexualidade humana. A ênfase reside em fazer do sexo uma experiência completa para o corpo, em que o prazer sensual se agita através de todo o seu corpo e não somente nos genitais.

O livro é dividido em quatro capítulos: Brando e Expressivo, Rápido e Impetuoso, Intenso e Erótico e Ousado e Penetrante. Cada um desses capítulos contém uma seleção das mais excitantes posições sexuais do *Kama Sutra*, do *Ananga Ranga* e de *O Jardim Perfumado*, com foco na prática – técnicas que você pode tentar fazer com seu(sua) parceiro(a) imediatamente. Há 52 posições; então, você e seu(sua) parceiro(a) podem experimentar uma nova posição por semana!

No Capítulo 1, descubra como você e seu(sua) amante podem ficar realmente próximos e mais íntimos, com possibilidades de fazer amor de forma mais afetuosa e íntima – perfeito para quando você realmente desejar estar e sentir-se sob a pele da outra pessoa. O Capítulo 2 tem posições excelentes para os momentos em que você desejar sexo imediato, impulsivo e espontâneo. No Capítulo 3, as posições que escolhi são particularmente eróticas devido ao fato de que oferecem uma penetração profunda... e o Capítulo 4 abrange posições não usuais – perfeitas para quando vocês dois estiverem se sentindo muito criativos.

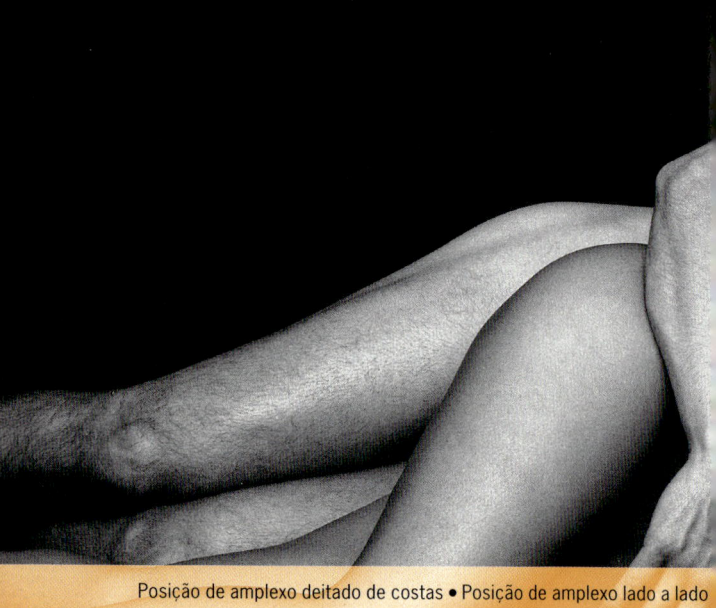

Posição de amplexo deitado de costas • Posição de amplexo lado a lado • Posição em abertura completa • Posição do caranguejo • *Explorando os sentidos* • Posição com pressionamento • Posição de acasalamento • Amplexo com as coxas • Posição transversa • *Alimento para os sentidos* • Roda do Kama • Amplexo com os pés • Posição de arco • Posição contrária • *O passeio sensual* • Primeira postura • Quinta postura • Oitava postura • *Automassagem* • O ato de união • A fusão do amor • Décima primeira postura

Brando e expressivo

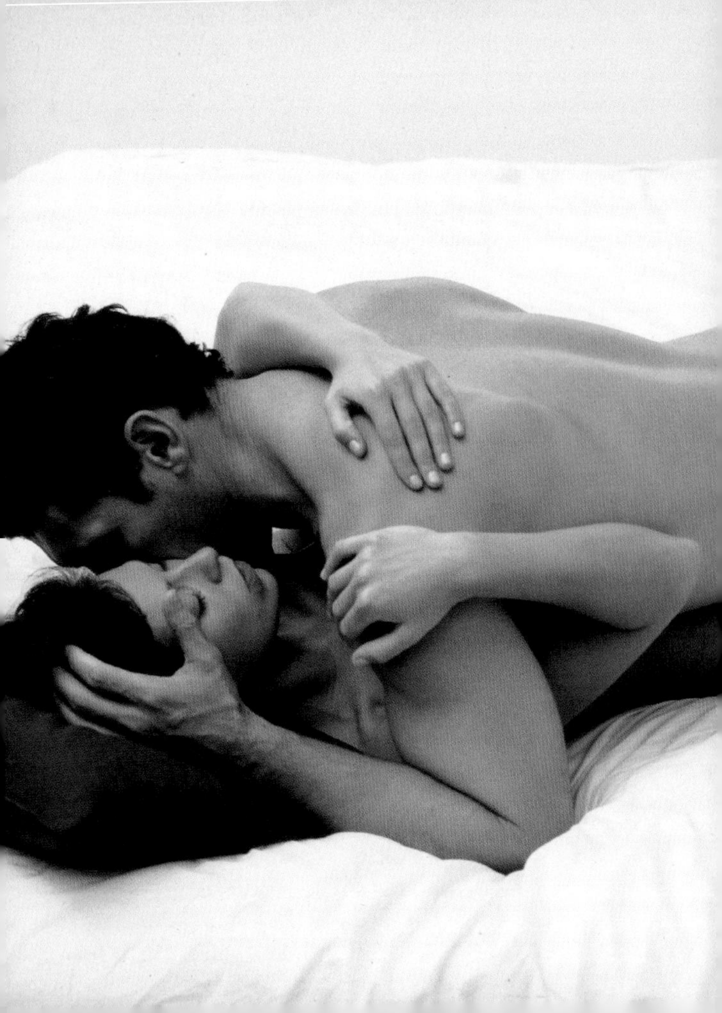

Brando e expressivo 14|15

01

Posição de amplexo deitado

Ela fica deitada, estirada, com as costas para baixo, as pernas separadas uma da outra e ele monta sobre ela e penetra-a. Os dois ficam com suas pernas esticadas e retas. Esta é uma posição maravilhosa para se ficar deitado(a) ainda no início ou no final do ato sexual e simplesmente saborear o sentimento de estarem tão intimamente unidos. O fato de estarem deitados juntos, desta forma, no início do ato sexual, realmente constrói uma tensão sexual – o anseio pelo ataque dele logo será sentido de forma irresistível! Usem esta posição para olhar demoradamente um nos olhos do outro ou trocarem um beijo longo e apaixonado. Ela também pode tentar contrair seus músculos vaginais ao redor do pênis dele nesta posição.

Brando e expressivo

02
Posição de amplexo lado a lado

Esta é similar à posição de amplexo deitado de costas, entretanto, em vez de o homem ficar por cima, os dois ficam de lado. Vatsyayana especifica que o homem deve sempre ficar apoiado em seu lado esquerdo e a mulher, em seu lado direito. Vocês podem rolar de uma posição de amplexo em que estão deitados de costas para uma posição de amplexo lado a lado (embora seja mais fácil rolar do outro modo). Esta postura melhora sua consciência das sensações sutis do contato genital, em vez de apenas se lançar em impulsos profundos e vigorosos. Nem um nem outro parceiro tem dominação e isso é magnífico para olhar demoradamente na alma, perder-se nos abraços, além de um sussurrar no ouvido do outro.

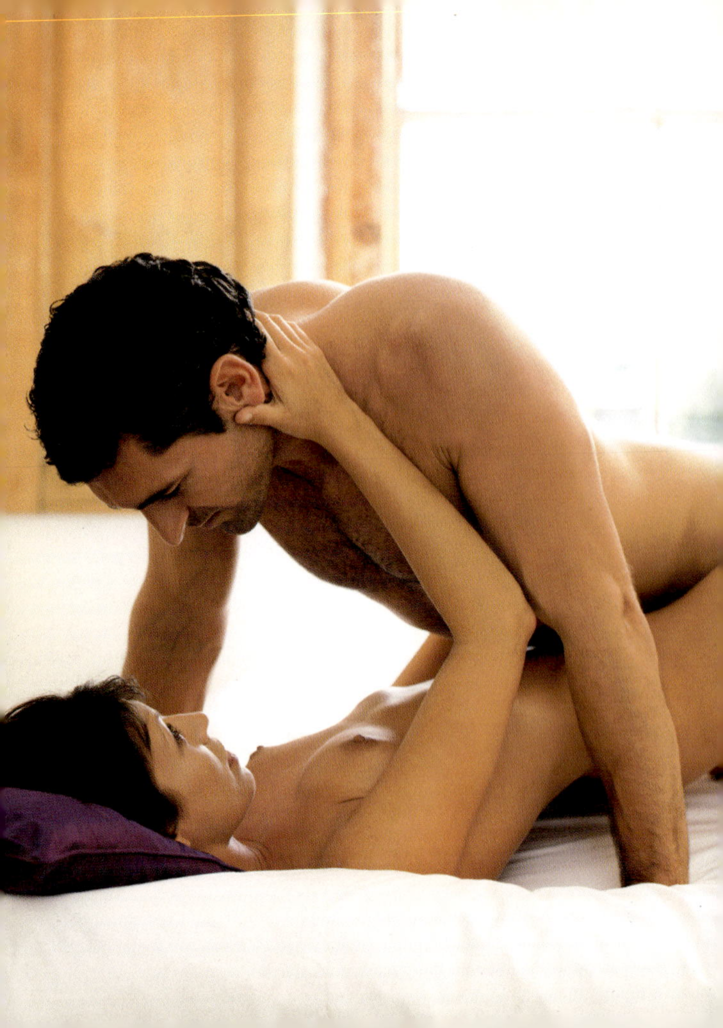

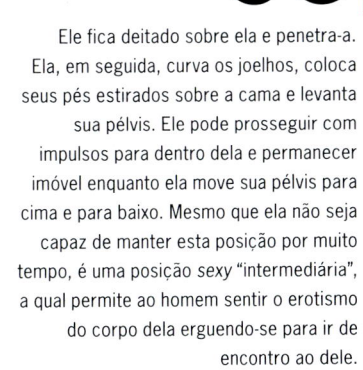

Brando e expressivo 18|19

03

Ele fica deitado sobre ela e penetra-a. Ela, em seguida, curva os joelhos, coloca seus pés estirados sobre a cama e levanta sua pélvis. Ele pode prosseguir com impulsos para dentro dela e permanecer imóvel enquanto ela move sua pélvis para cima e para baixo. Mesmo que ela não seja capaz de manter esta posição por muito tempo, é uma posição *sexy* "intermediária", a qual permite ao homem sentir o erotismo do corpo dela erguendo-se para ir de encontro ao dele.

Posição em abertura completa

20|21 Brando e expressivo

Posição do caranguejo

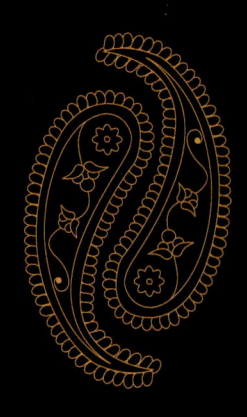

04

Ela deita com suas costas voltadas para baixo, curva seus joelhos e eleva suas coxas em direção a seu estômago. Ele deita-se ou ajoelha-se entre as pernas dela e penetra-a. Se ele segurar os joelhos dela com firmeza, ela pode relaxar as pernas e sentir um poderoso senso de relaxamento nesta posição.

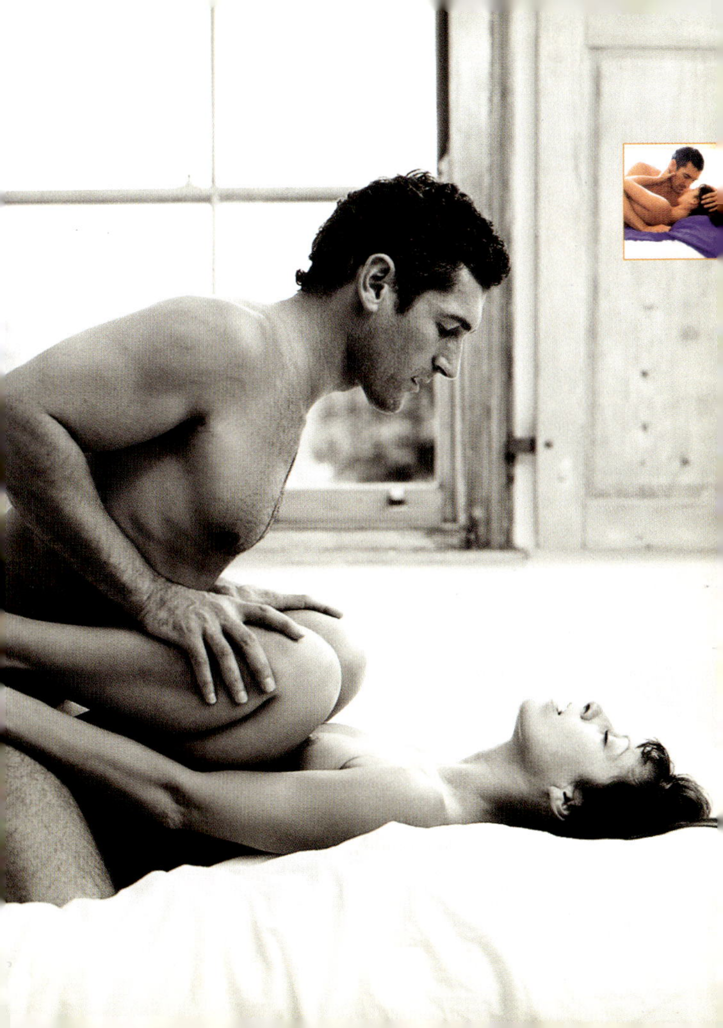

Explorando os sentidos

De acordo com o *Kama Sutra*, os estímulos sexuais preliminares devem buscar o comprometimento de cada um de nossos cinco sentidos. O "quarto do prazer" deve ser aromático, com flores e perfumes; o casal deve saborear bebidas, tocar instrumentos musicais e conversar; logo depois, conforme a paixão for aumentando, devem tocar e abraçar um ao outro.

Imagine que você esteja preparando seu quarto de dormir para duas pessoas que estão prestes a fazer amor pela primeira vez – cada um dos detalhes é provido de uma importância suprema.

Pense a respeito da cor e da textura de sua roupa de cama, da iluminação e da música. Experimente queimar incenso ou alguns óleos essenciais, tais como jasmim ou ylang-ylang. Coloque pedaços de manga e de laranja próximos à cama para chupá-los antes de beijar. Quando fizer amor, tente alternar o foco de sua atenção de um sentido para o outro. Se geralmente a sua concentração reside na sensação de seu(sua) parceiro(a) tocando você, tente pensar no que vê, saboreia, ouve ou percebe com o olfato durante o ato sexual.

05
Posição com pressionamento

Comece na posição de amplexo deitado de costas (vide página 15); em seguida, ela curva as pernas e pressiona seu corpo com as coxas. Ela pode fazer isso com os pés estirados na cama ou com as coxas levantadas. Para criar um senso de intimidade atrativo, além de ficarem literalmente envoltos um no outro, ela pode descansar a panturrilha na parte inferior das costas dele e cruzar seus tornozelos.

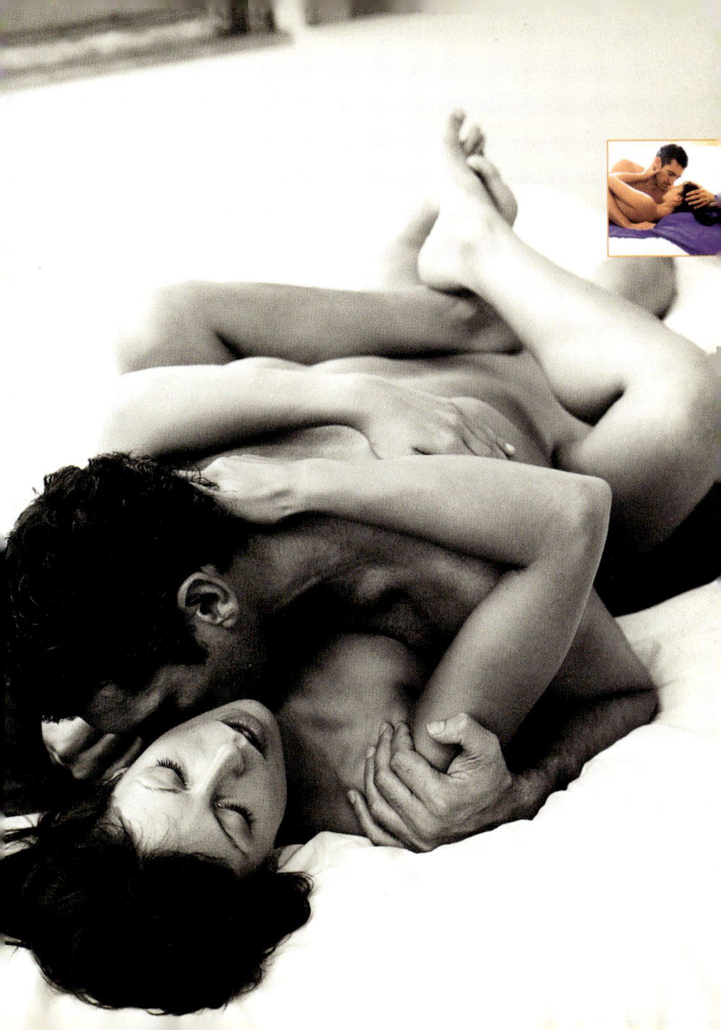

Brando e expressivo

06

Posição de acasalamento

Ele deita-se por cima dela e, após a penetração, ela ergue uma das pernas e envolve-a ao redor da parte de trás da coxa dele (você também pode fazer amor nesta posição quando estiver em pé; vide página 60). Ao erguer a perna dela desta forma, você faz com que a mulher tenha mais controle sobre o ato de fazer amor: ela pode usar a pressão da perna dela para impulsioná-lo em movimentos para dentro e para fora. Se ela for forte e flexível o bastante, ela pode usar o calcanhar para massagear as nádegas dele ou aplicar pressão ao períneo dele (a área entre o ânus e os genitais) – ao tocar esta área, tal ato pode levar a orgasmos imediatos e vigorosos em alguns homens. Para aumentar ou diminuir a profundidade da penetração, ela pode mover a perna bem para cima ou bem para baixo no corpo dele.

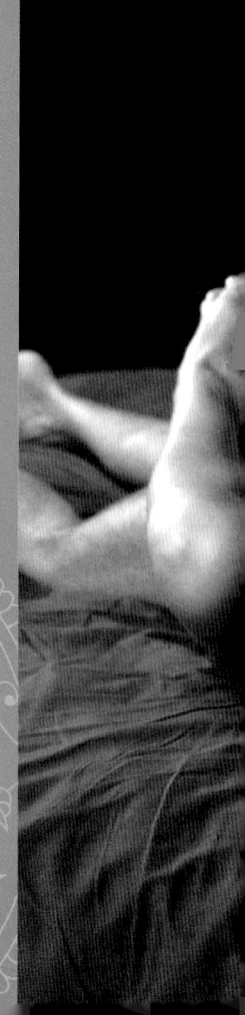

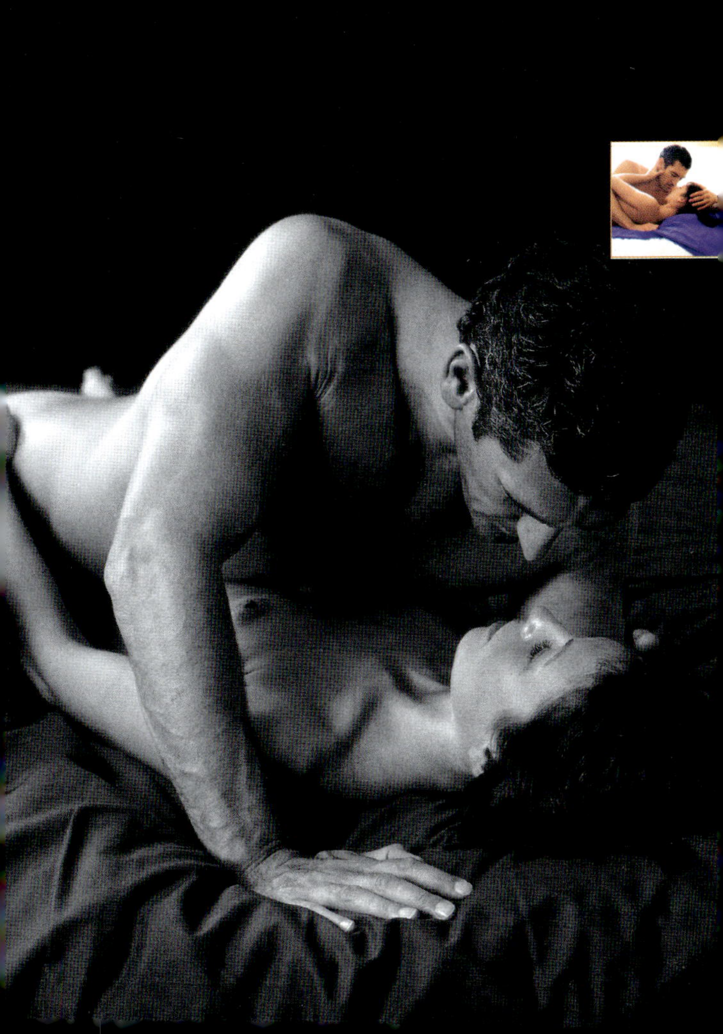

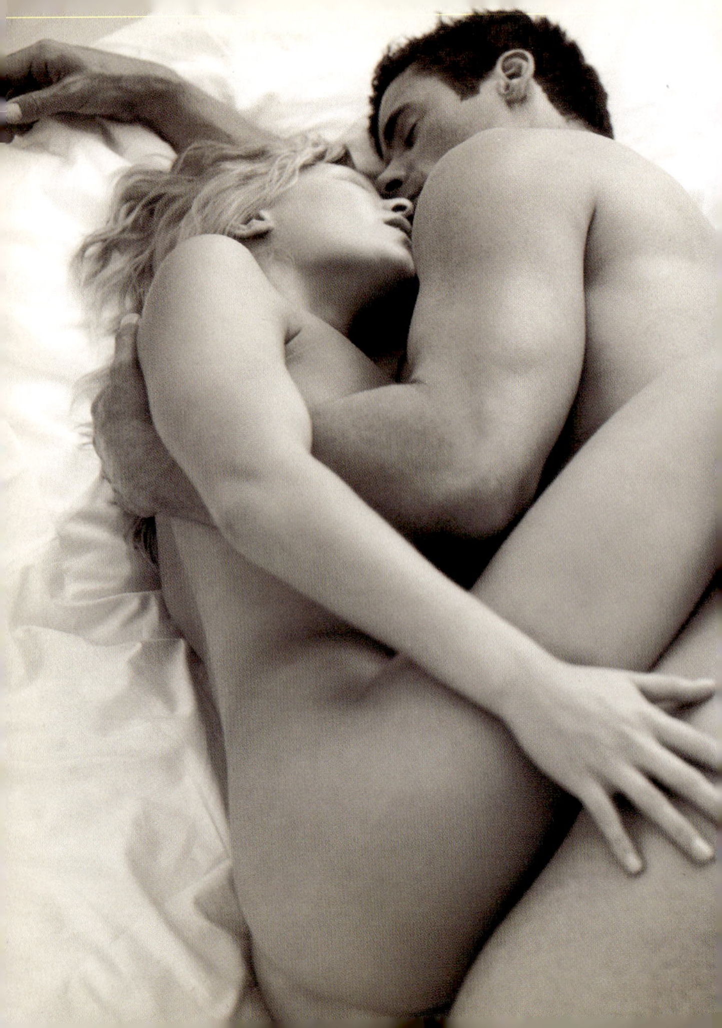

Brando e expressivo 28|29

07

Amplexo com as coxas

Ele deita de lado entre as coxas dela (ela o envolve com uma das coxas, posicionando sua outra coxa sob ele). Ele se sentirá firmemente envolto, mas nem um nem outro é dominante nesta posição. É bem mais fácil para ela alcançar seu sexo entre as suas próprias pernas, de modo a impulsionar seu clitóris; ele pode acariciar os seios dela e, então, há a oportunidade para muitos contatos com os olhos e beijos. Há também muitas maneiras de variar ou estender esta posição, assim sendo, explorem-na e descubram do que você e seu parceiro mais gostam. Por exemplo, ambos os parceiros podem mover seus corpos para os lados, de modo a conseguirem uma ampla forma em "V". Ou ela pode tentar rolar com apoio nas costas e enganchar ambas as pernas na parte superior dos quadris dele.

Brando e expressivo

08
Posição transversa

O homem fica deitado de lado, com o rosto mirando a mulher. Ele ergue a parte superior de sua perna e coloca-a sobre os quadris dela. Dependendo da anatomia individual, tanto a sua como a do(a) parceiro(a), vocês podem descobrir que podem conseguir apenas penetração rasa nesta posição. Uma idéia para aumentar o erotismo da Posição

Transversa é a de usar algum óleo de massagem em sua barriga e nos genitais, de forma que vocês escorreguem e deslizem um em direção ao outro durante o ato de fazer amor (entretanto, não use óleo caso esteja usando camisinha – o óleo danifica o látex).

Alimento para os sentidos

Compartilhar os alimentos com seu(sua) amante pode ser um ato sexy, íntimo ou até mesmo sacramental. O objetivo é o de reacender seus sentidos de modo a garantir que vocês selecionem os alimentos que tenham texturas, aromas e sabores interessantes, como, por exemplo, aspargo, ostras, kiwi, mel, caviar, creme e uva. Dispensem os talheres e usem os dedos. Sentem-se nus no chão, apanhem pedaços do alimento e explorem-nos juntos.

Por exemplo, esfregue gentilmente a pele de um kiwi em contato com os lábios de seu(sua) amante e, em seguida, abra-a e inale a fragrância da polpa antes de deixar o suco cair em gotas em suas línguas, abaixo de seus queixos e sobre seus dedos. Alguns alimentos, como uvas geladas ou morangos gelados, são excelentes para serem alternados entre suas bocas.

Quando vocês tiverem tocado, sentido o aroma e o sabor, além de terem observado cada um dos itens de alimentos em sua coleção, explorem todas as partes do corpo um do outro da mesma forma.

34|35   Brando e expressivo

Roda do Kama[1]

09

Ele senta-se no chão ou em uma cama com as pernas estiradas em frente a si mesmo e, então, ela senta-se montada nele com as pernas atrás do corpo dele. Vocês dois se prendem, um na parte superior do corpo do outro.

Esta é uma alternativa sexy para vocês fazerem amor deitados e podem conseguir fazê-lo diretamente a partir de uma posição em que a mulher esteja por cima. Depois que tiverem ficado nesta posição por algum tempo, a mulher pode ficar deitada com as costas voltadas para o chão ou para a cama de forma a expor seu clitóris e, permanecendo dentro dela, o homem pode levá-la ao orgasmo com o uso do polegar ou dos outros dedos.

---

1. N.T.: Deus do amor e do desejo erótico; oposto a Mara.

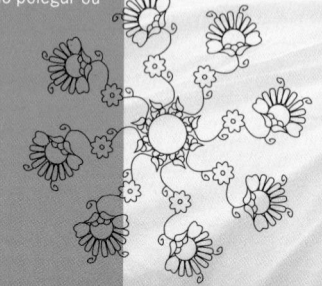

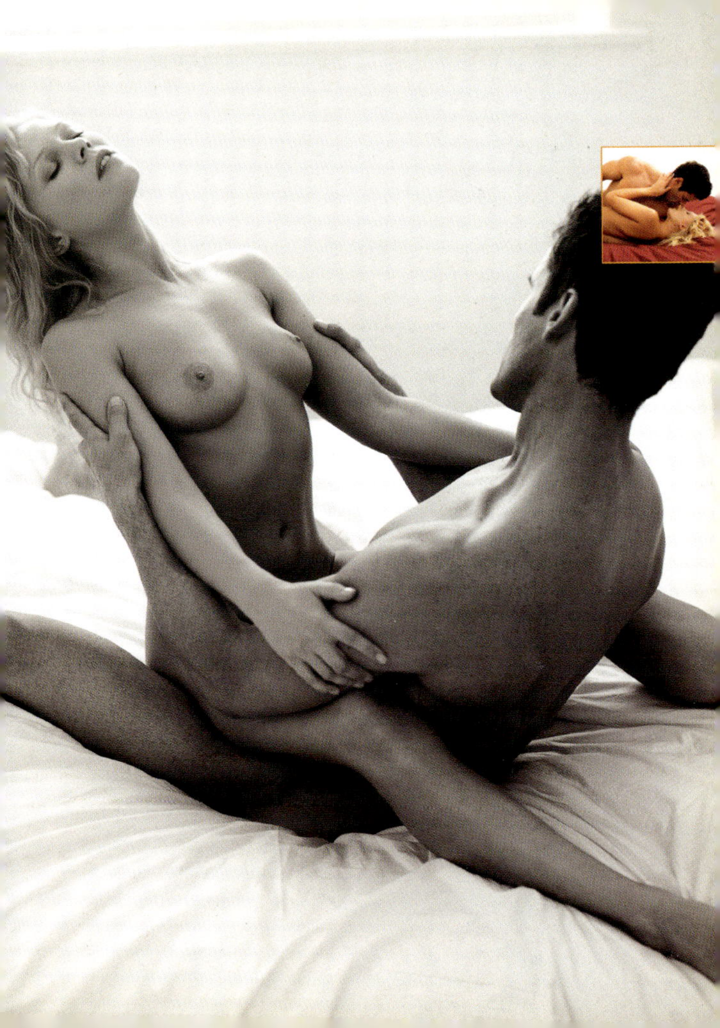

10
Amplexo com os pés

Fiquem nesta posição da mesma forma como ficaram na Roda do Kama ou usem-na como uma posição subseqüente à Roda do Kama.

A diferença está em que, nesta posição, em vez de abraçar a parte superior do corpo um do outro, vocês agarram os pés, os tornozelos ou as

Brando e expressivo   **36|37**

canelas de seu(sua) amante – onde quer que se sintam mais confortáveis. Isso torna mais fácil empurrar e puxar os corpos um em direção ao outro. Ela também pode erguer-se levemente, mover a pélvis de forma a massagear a cabeça do pênis dele em sua vagina.

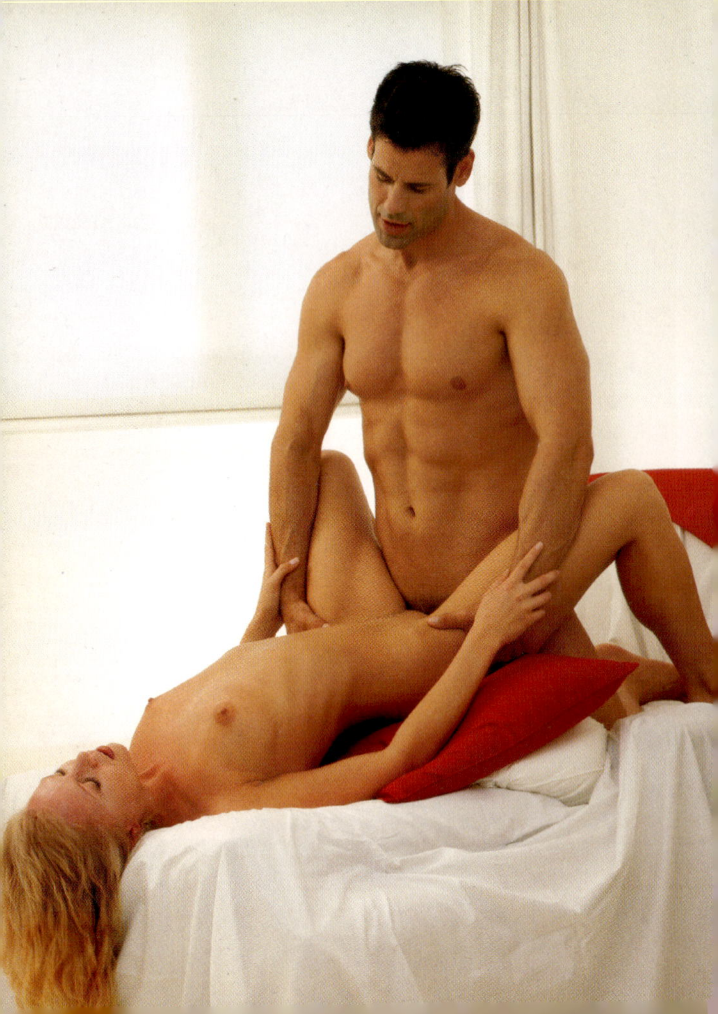

11
Posição de arco

Ela deita-se de costas, com uma pilha de almofadas ou de travesseiros sob si mesma.

Ela fica com seus joelhos curvados e seus pés estirados na cama ou no chão. Ele, então, penetra-a por cima. Com o uso de acessórios para servirem de apoio, como, por exemplo, almofadas, durante o sexo, ela conseguirá transformar uma posição familiar em algo sensacional. Prossigam fazendo experiências com o número e com a posição de almofadas ou travesseiros até que consigam fazê-lo perfeitamente.

12
Posição contrária

Ele deita-se de costas e ela deita-se por cima dele com os seios apoiados no peito dele e com as mãos dela na cintura ou nas coxas dele. O *Ananga Ranga* apresenta instruções para a mulher mover seus quadris fortemente em uma variedade de direções. O homem pode ou ficar deitado parado ou guiar o movimento dos

Brando e expressivo

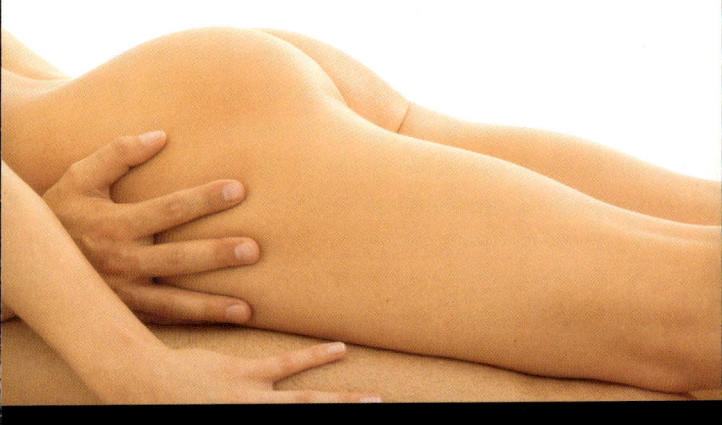

quadris dela com suas próprias mãos. Para conseguir um apoio adicional, ela pode descansar as mãos ao lado do corpo dele e colocar seus pés sobre os dele, de forma que ela possa empurrar seu corpo em direção ao dele. Quanto mais alto ela se deitar no corpo dele, mais fricção no clitóris ela receberá.

O passeio sensual

Caso você esteja com um(a) amante há muito tempo, fica fácil conseguir obter uma idéia dos hábitos sexuais que podem impedir que o sexo seja uma experiência de corpo todo. O passeio sensual é uma técnica designada a tornar o ato um pouco mais vagaroso, de forma que vocês consigam vivenciar a experiência de sensações em que se dá e recebe. É uma grande maneira de redescobrir a arte do erotismo, e, se sua vida sexual estiver rotineira, esta é a forma de revigorá-la. Certifiquem-se de que tenham muito tempo e a mais completa privacidade. Não montem, nem enfeitem o ambiente com o objetivo de alcançar o orgasmo ou de fazer sexo, apenas se concentrem em tocar um ao outro de novas maneiras e em lugares novos. Coloquem seu foco em se divertir e experimentar.

Criem rodadas para fazerem um passeio no corpo um do outro com suas mãos (ou com qualquer outra coisa!).

Como aquele que concede o toque, sua meta é a de produzir novas e sensuais sensações no corpo de seu(sua) parceiro(a). Como aquele que recebe o toque, sua meta é a de imergir em sensações.

13
Primeira postura

Ela fica deitada, com apoio nas costas, e ergue suas pernas com os joelhos curvados; ele, então, penetra-a por cima. Ele pode mover-se livremente dentro dela, ela pode se concentrar na construção da intensidade de sensações genitais conforme ele prossegue com os impulsos e, além disso, ambos podem desfrutar do prazer de olharem um para o outro.

Para introduzir novas sensações, ela pode mover os joelhos, de forma que fiquem bem separados um do outro, ou pode abaixar as pernas.

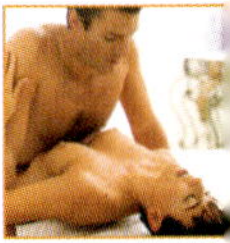

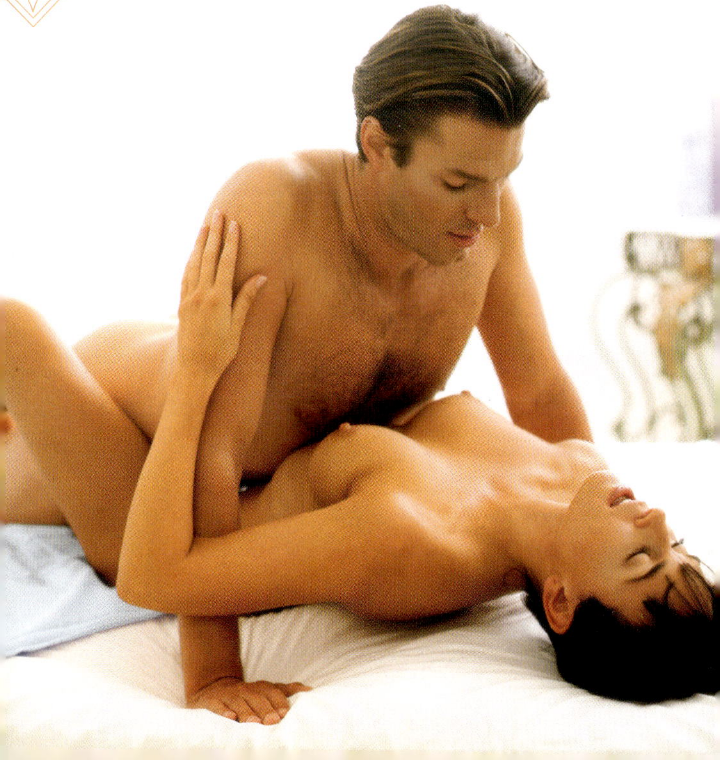

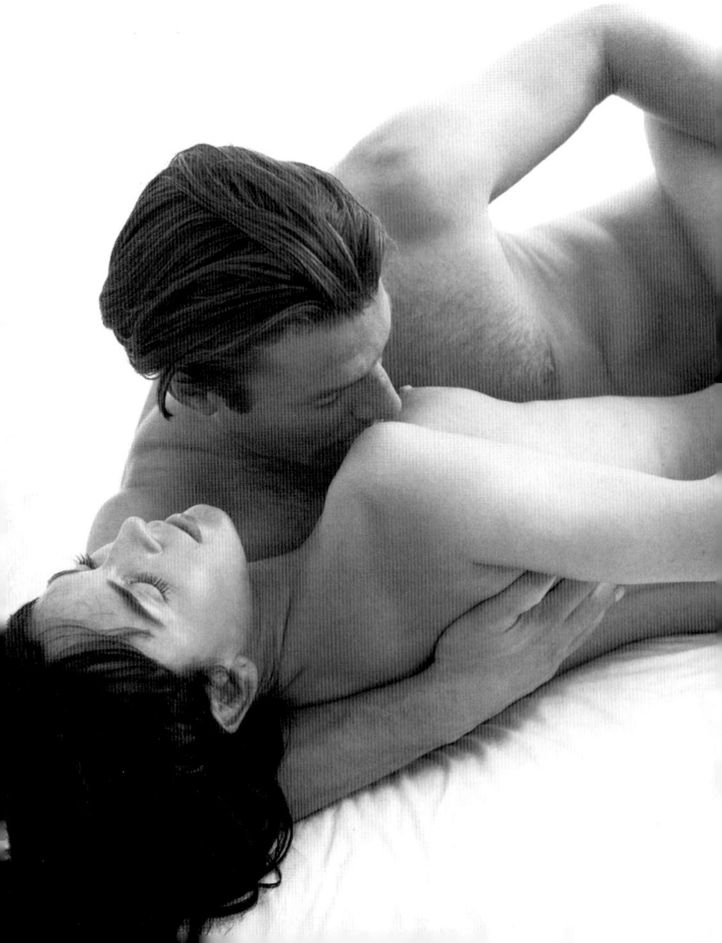

Brando e expressivo 46|47

14

Quinta postura

Ela fica deitada de lado e ele posiciona a si mesmo entre as coxas dela e a penetra. Posições sexuais lado a lado como esta são ótimas para um ato de fazer amor preguiçoso, quando nem um nem outro se sente com vontade de ficar por cima. Se você estiver fazendo sexo no chão, a Quinta Postura pode ser o princípio de uma seqüência dinâmica de posições: comecem nesta postura e, em seguida, rolem até uma posição em que o homem fique por cima, tal como a Primeira Postura (vide página 44) e, em seguida, novamente, em uma posição em que a mulher esteja por cima.

A partir daí, a mulher pode sentar-se e o homem pode estimular seu clitóris com a mão. A Quinta Postura também é uma posição amorosa, pacificadora, para vocês ficarem deitados e conversarem, depois que tiverem acabado de fazer amor.

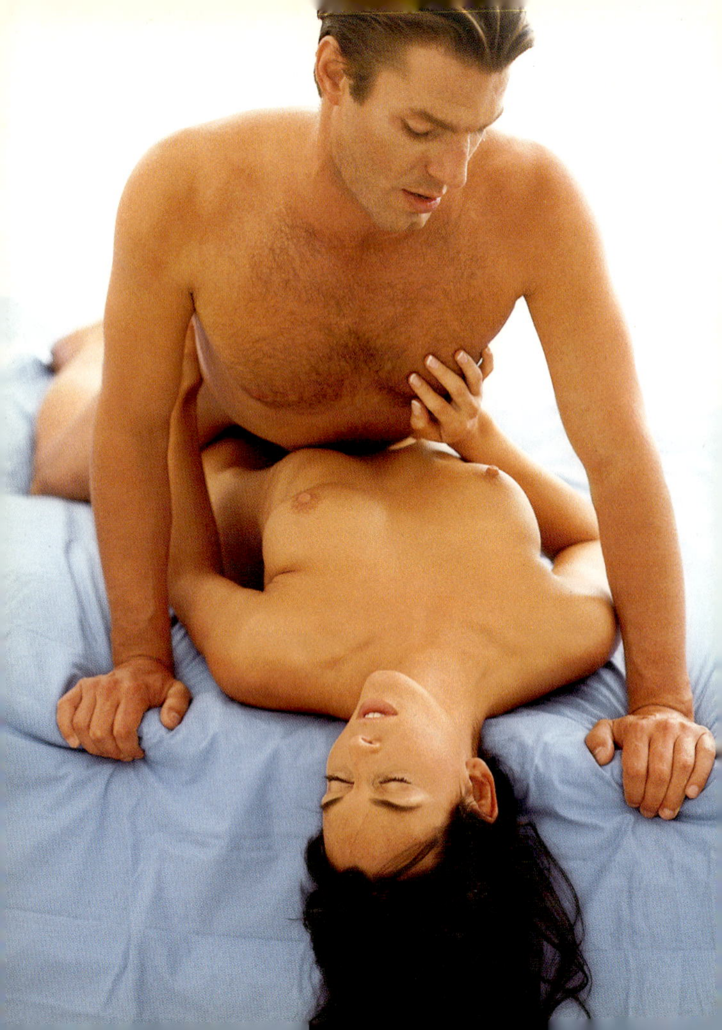

Brando e expressivo

15
Oitava postura

Ela fica deitada de costas e ele ajoelha-se, com uma perna em cada lado, montado nela. O homem não consegue penetrar a mulher livremente nesta postura devido ao fato de que as pernas dela estão na parte interna, em vez de do lado de fora, das dele. O que ele pode fazer é segurar seu pênis em suas mãos e guiá-lo para dentro e para fora da entrada vaginal, esfregando suas glandes em círculos rítmicos ao redor do clitóris da parceira, o que é profundamente excitante para ambos.

Automassagem

Experimente formas diferentes de tocar todo seu corpo de modo a descobrir qual sensação é boa para você. Tente roçar sua pele com as palmas das suas mãos banhadas em óleo, aplicando uma pressão profunda com os polegares ou com os nós dos dedos; tocando levemente sua pele com as pontas dos dedos; beliscando gentilmente, esfregando e pressionando levemente sua pele entre o polegar e os dedos; ou usando um aparelho massageador especialmente projetado ou, até mesmo, um vibrador. Aprenda a fazer em si mesmo(a) uma massagem na cabeça – passe as pontas de seus dedos em círculos pequenos e firmes sobre toda sua cabeça ou junte punhados de seu cabelo e faça movimentos suaves, puxando-os. Tente aplicar pressão com as partes de trás de suas mãos na área sensível acima de suas orelhas e em frente a estas. Mais importante do que ser mestre em técnicas específicas é conceder a si mesmo(a) a permissão de experimentar o prazer somente por e para si mesmo(a). Fique deitado(a) de costas, relaxe e demore quanto tempo for necessário – entregue-se à sensação.

Brando e expressivo

16
O ato de união

Vocês dois se sentam com o rosto fitando um ao outro, em uma cama ou no chão, e a mulher coloca sua coxa direita sobre a coxa esquerda do homem. Ele então coloca a coxa direita dele sobre a coxa esquerda dela e vocês se abraçam em um amplexo de corpos. Nefzawi instrui os casais a moverem-se em uma ação de gangorra, inclinando a cabeça para trás e para a frente, em sincronia com o movimento do pênis na vagina.

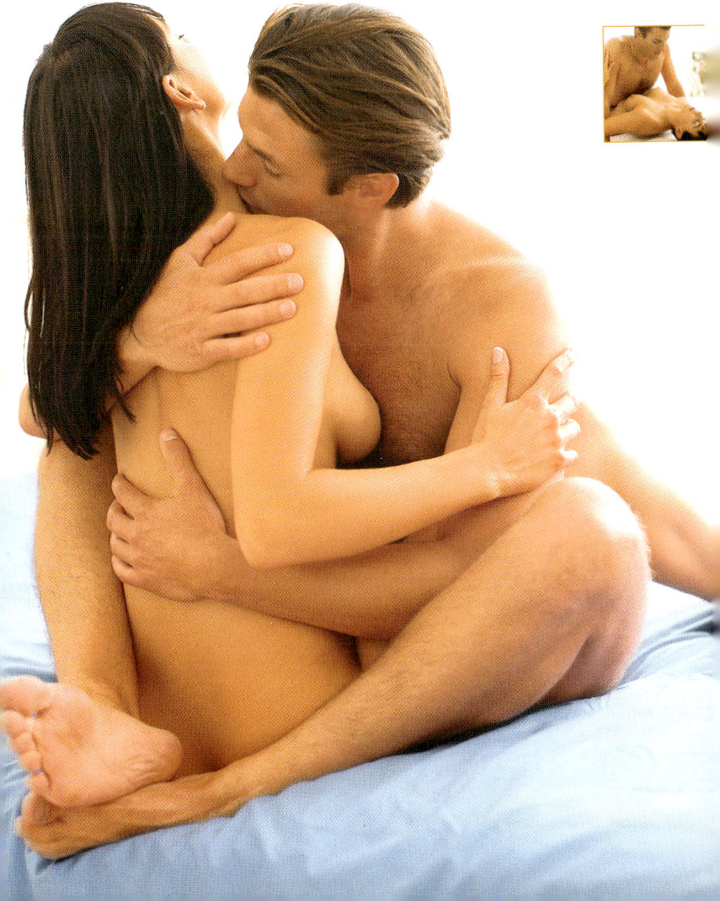

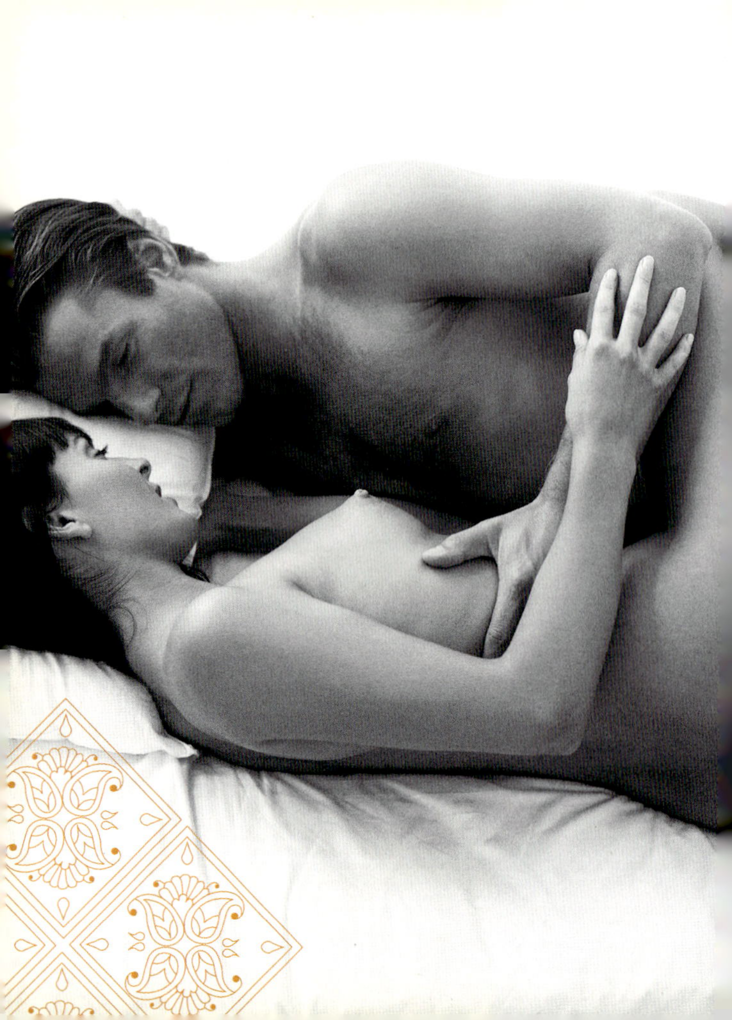

Brando e expressivo **54|55**

17

A fusão do amor

Ela fica deitada com apoio em seu lado esquerdo e ele deita-se com apoio no lado direito de seu corpo. Ela coloca a parte superior de sua perna sobre os quadris dele, ao passo que ele estica a parte superior de suas pernas entre as pernas dela. Esta é uma posição gentil, suave, delicada e íntima que é ótima para o ato de fazer amor vagarosamente, entremeado com muitos beijos suaves. Vocês podem chegar a esta posição após ela ter feito sexo oral nele – ela simplesmente desliza seu corpo para cima do dele.

Para elevar o ritmo erótico durante o sexo feito lado a lado, tentem arranhar levemente as nádegas um do outro com as pontas de seus dedos, ou sugar os dedos um do outro no mesmo ritmo em que o pênis dele entra na vagina dela.

Brando e expressivo

18

Décima primeira postura

Ela fica deitada de costas, com uma ou mais almofadas sob suas costas, ou um ou mais travesseiros sob suas nádegas; em seguida, ela deixa que seus joelhos caiam para os lados e pressiona as solas de seus pés uma contra a outra. Agora, o homem fica por cima e penetra-a. Uma variação desta postura é aquela em que a mulher pressiona as solas de seus pés uma contra a outra depois que o homem houver penetrado nela – isso pode ser mais confortável enquanto os pés dela descansam na parte detrás das pernas dele. Se o homem pressionar sua pélvis fortemente em direção à mulher durante o sexo, o clitóris receberá muita fricção enquanto ele prosseguir com seus impulsos.

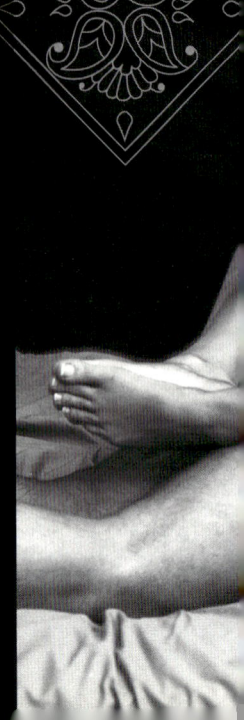

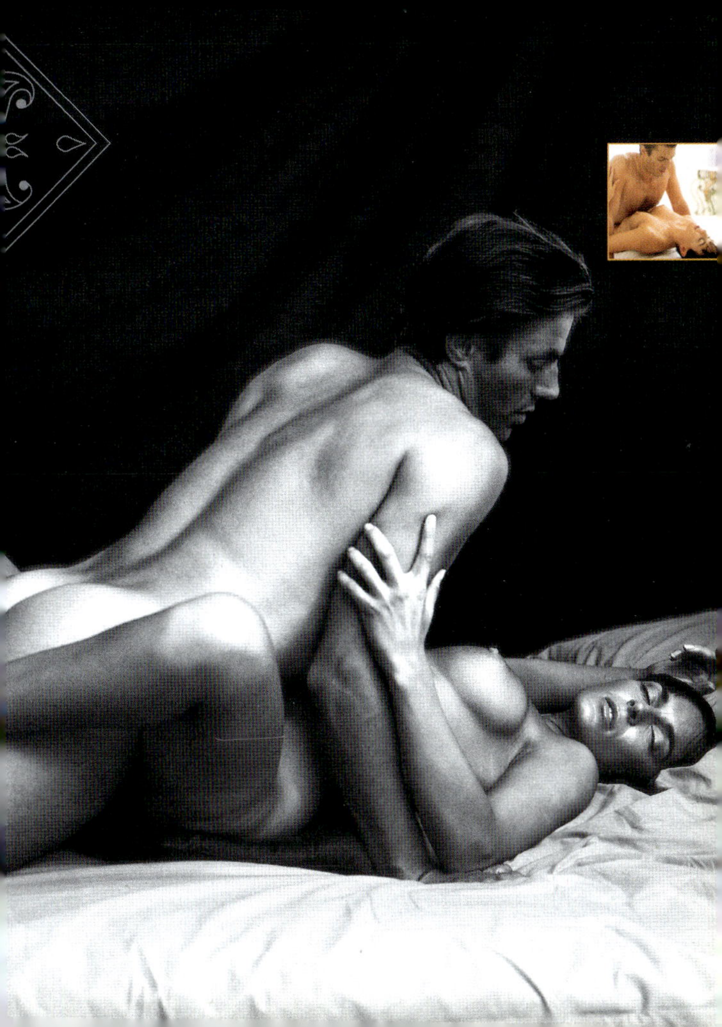

Ato sexual de união com apoio • Ato sexual de união suspenso
• Ato sexual de união da vaca • Forma na vertical de joelho e cotovelo
• Músculos do amor • Elevação da perna • Nona postura
• Barriga com barriga • Penetração lenta e rápida

Rápido e impetuoso

19
Ato sexual de união com apoio

Esta é uma clássica posição "rapidinha" – você nem mesmo precisa ficar completamente despido(a). Ela fica em pé com as costas encostadas em uma parede enquanto ele pressiona o corpo contra o dela. Ela o envolve com uma das pernas, ao redor do corpo dele – quanto mais alta estiver a perna dela, melhor – e ele a penetra. Se você gosta de fazer sexo no chuveiro, tente fazer nesta posição.

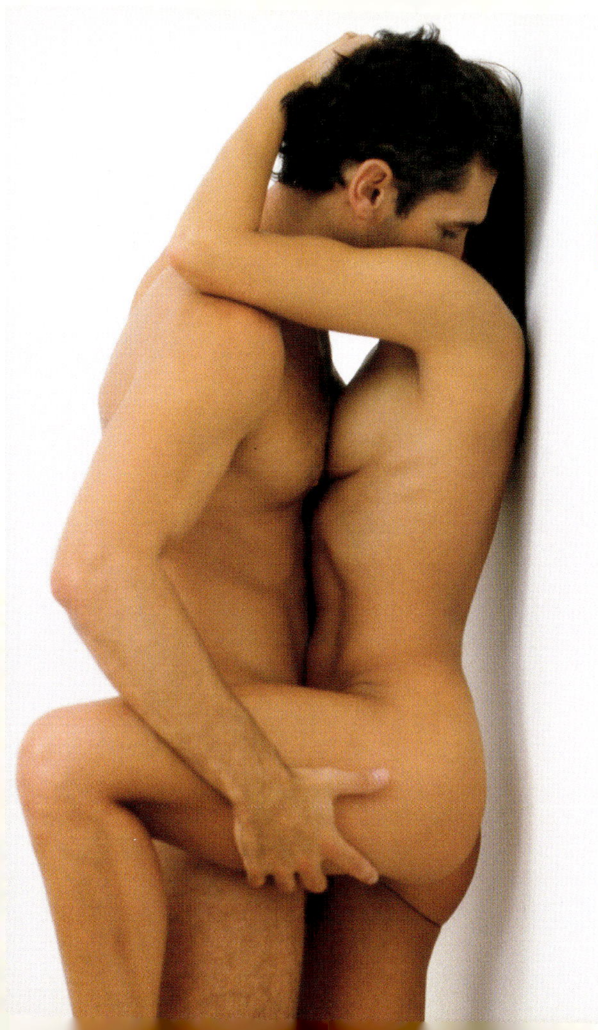
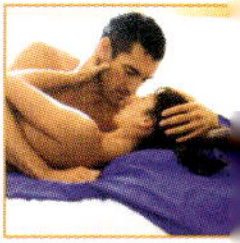

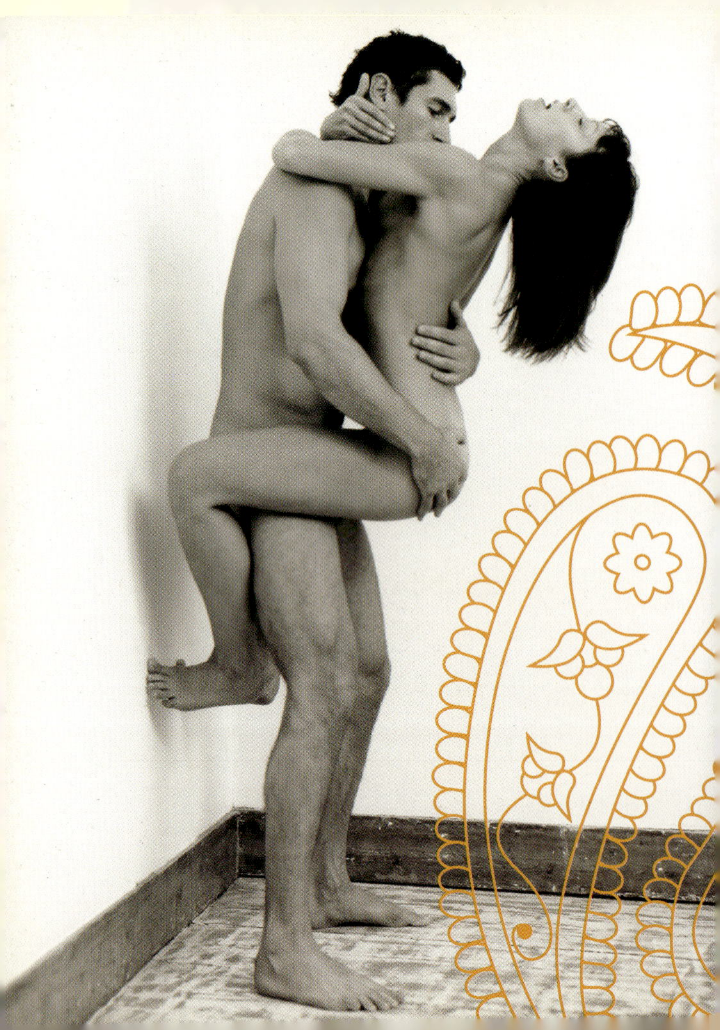

20
Ato sexual de união suspenso

Esta posição, na qual ele fica em pé contra uma parede, ergue-a e prende as mãos sob as nádegas dela, é perfeito para o sexo rápido, quando vocês dois estiverem no pico da excitação.

Ela move-se para cima e para baixo sobre o pênis dele, empurrando o corpo dele contra a parede com os pés. Se você não conseguir fazer isso por muito tempo, ele pode ajoelhar e você pode se mover para a Posição de Pressionamento (vide página 24).

21
Ato sexual de união da vaca

Ela se curva de forma que as mãos dela toquem o chão e o homem penetre-a por trás. Esta posição animalesca evoca poderosos sentimentos de dominação e vulnerabilidade em homens e mulheres. O anonimato desta posição – em que você não consegue ver o rosto nem de um nem de outro – pode ser um imenso elemento para excitação. Sintam-se livres para se entregarem às suas mais selvagens fantasias sexuais.

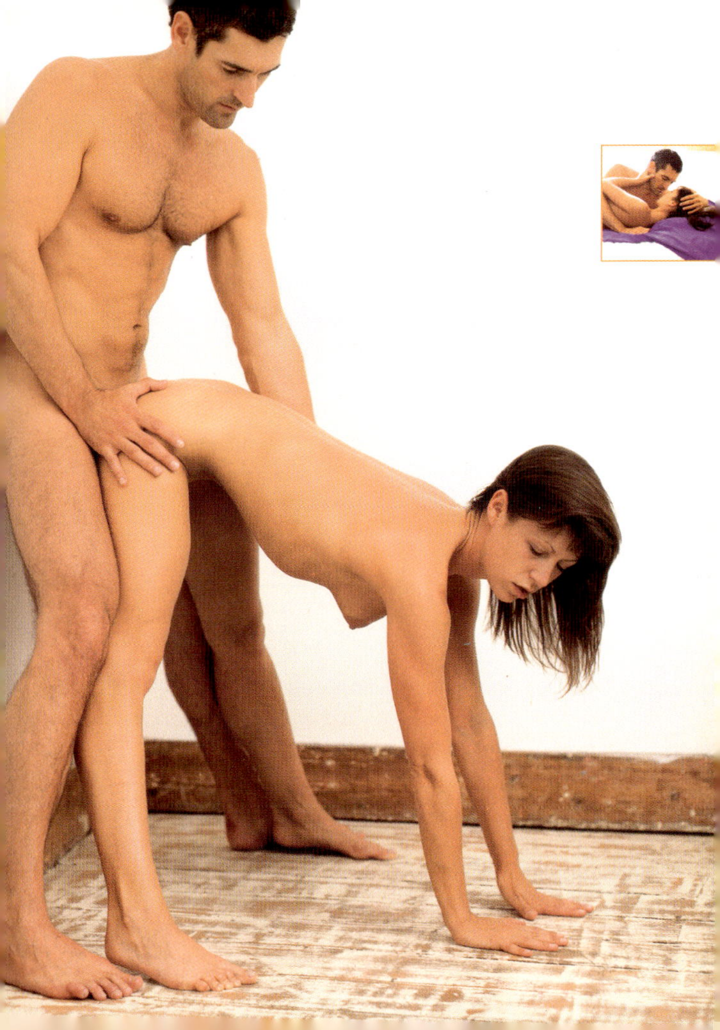

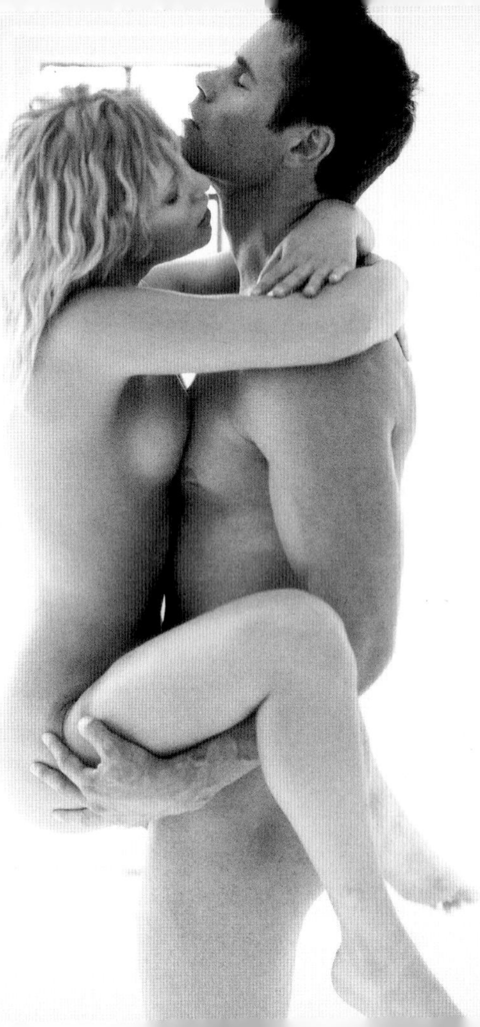

22
Posição vertical, usando os joelhos e os cotovelos

O homem levanta a mulher de forma que seus joelhos descansem nas dobras de seus cotovelos. Ela envolve os braços ao redor do pescoço dele. Embora esta posição demande uma grande resistência da parte do homem, o sentimento de estar tão completamente abraçada pode ser um grande elemento de excitação para a mulher, além de o homem poder desfrutar da exibição assertiva de força masculina.

Músculos do amor

Se você e seu(sua) parceiro(a) tiverem fortes músculos pubococcígeos (PC), vocês sentirão as sensações durante o sexo aumentarem – a vagina agarrará fortemente o pênis, você poderá demorar com a ejaculação e as ondas de orgasmo serão mais intensas para ambos. Vocês podem fortalecer seus músculos PC por meio da contração durante o maior tempo que conseguirem, liberando-os em seguida. (Repitam até 10 vezes).
Se vocês acharem difícil localizá-los, tentem parar de urinar no meio

contraia

do fluxo – os músculos que vocês contraem são seus músculos PC. Se você for mulher, tente massagear o pênis de seu amante e contraí-los durante o sexo. Se você tiver realmente controle muscular excelente, pode ser capaz de "remexer excitadamente" seus músculos contra o pênis dele. Se for homem, pode usar seus músculos PC para fazer com que o sexo dure mais tempo; conforme for seguindo até a ejaculação, contraia seus músculos PC o mais forte que conseguir e respire profundamente.

ções

23
Elevação da perna

Há uma ausência de esforço no que se refere a esta posição, em que ela pressiona seu corpo contra o dele e ergue uma de suas pernas ao longo do corpo do parceiro, para que este possa penetrá-la. Se ele for alto e ela for pequena e delicada, conseguirão alcançar somente uma penetração rasa, entretanto, podem ir mais a fundo se ele curvar os joelhos em uma posição de semi-cócoras, ou se ela ficar em uma superfície levemente erguida.

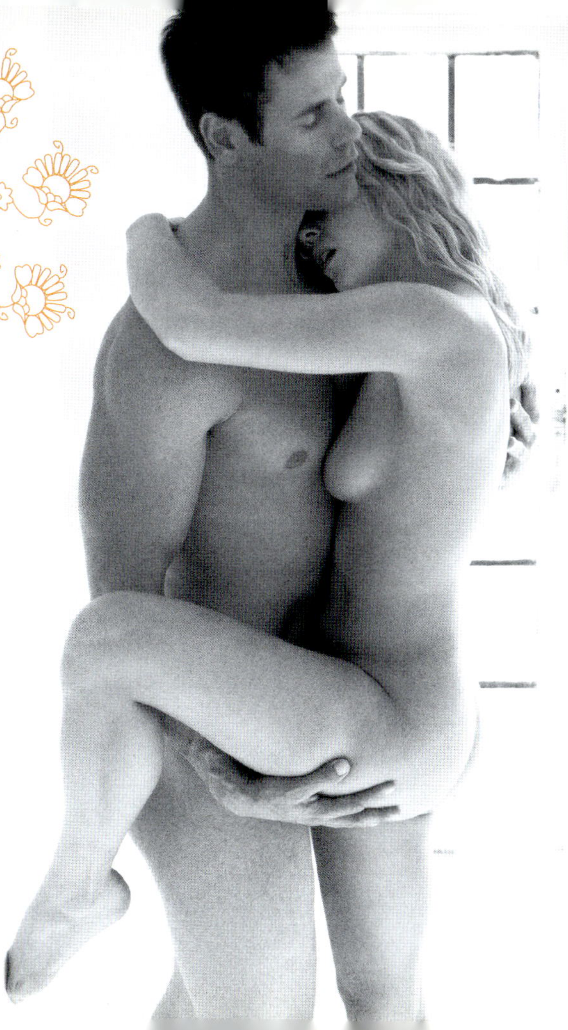

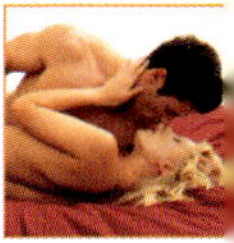

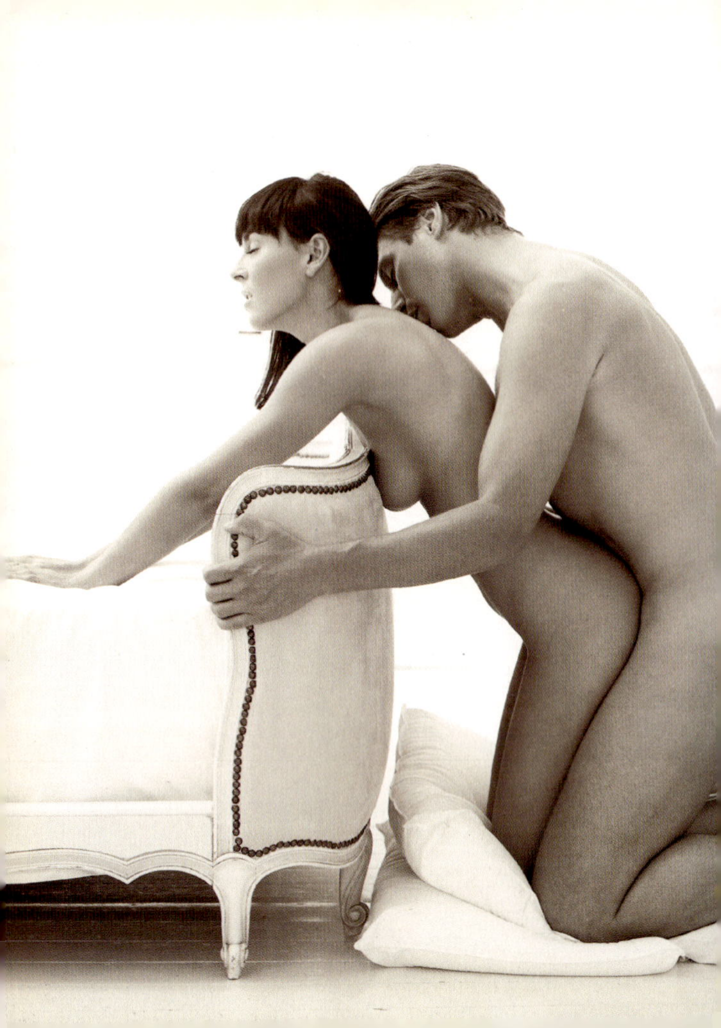

Rápido e impetuoso 72|73

24

Ambos os parceiros ajoelham-se no chão em uma pilha de almofadas ou de travesseiros.
Ela abaixa a cabeça para a frente sobre uma cama ou sofá, enquanto ele a penetra por trás.
Ele pode alternar entre impulsos de penetração rasos e profundos.
Não se inibam e façam o máximo de barulho que desejarem!

Nona postura

25
Barriga com barriga

Vocês ficam em pé, cara a cara, com suas mãos ao redor da cintura um do outro.

Ela tem seus pés amplamente separados, e ele tem os pés entre os dela.

Se os casais tiverem uma altura similar, esta pode ser uma das posições mais eróticas, devido ao fato de que se consegue entrar no clima rapidamente... Se ela for muito mais baixa do que ele, ela pode tentar ficar em pé sobre uma superfície levantada.

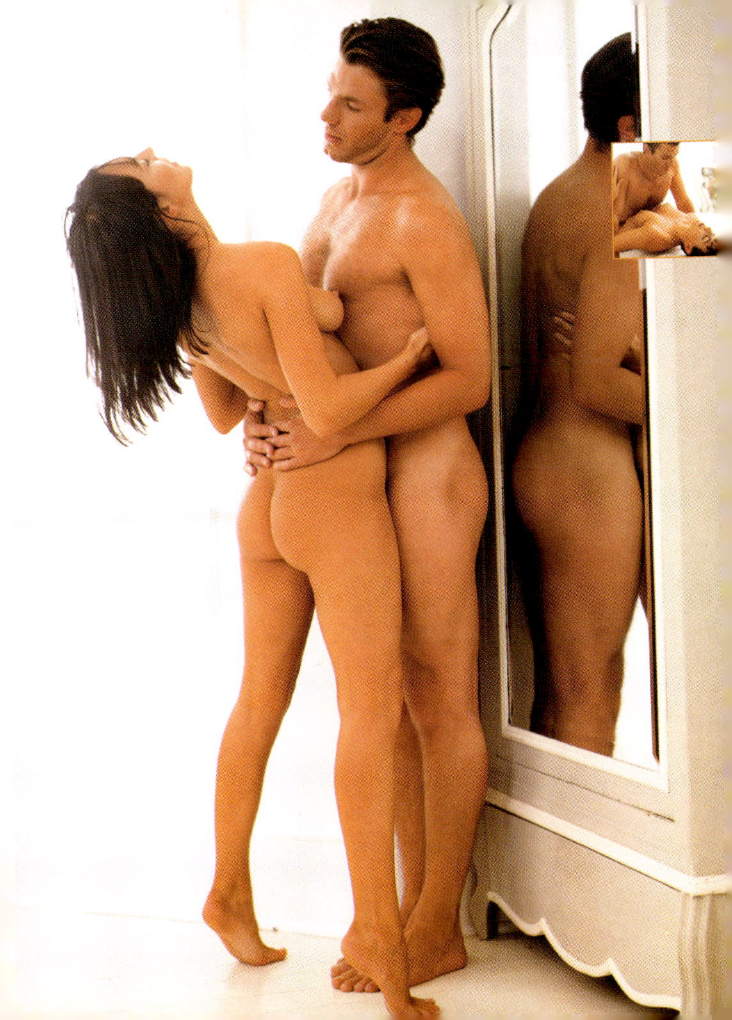

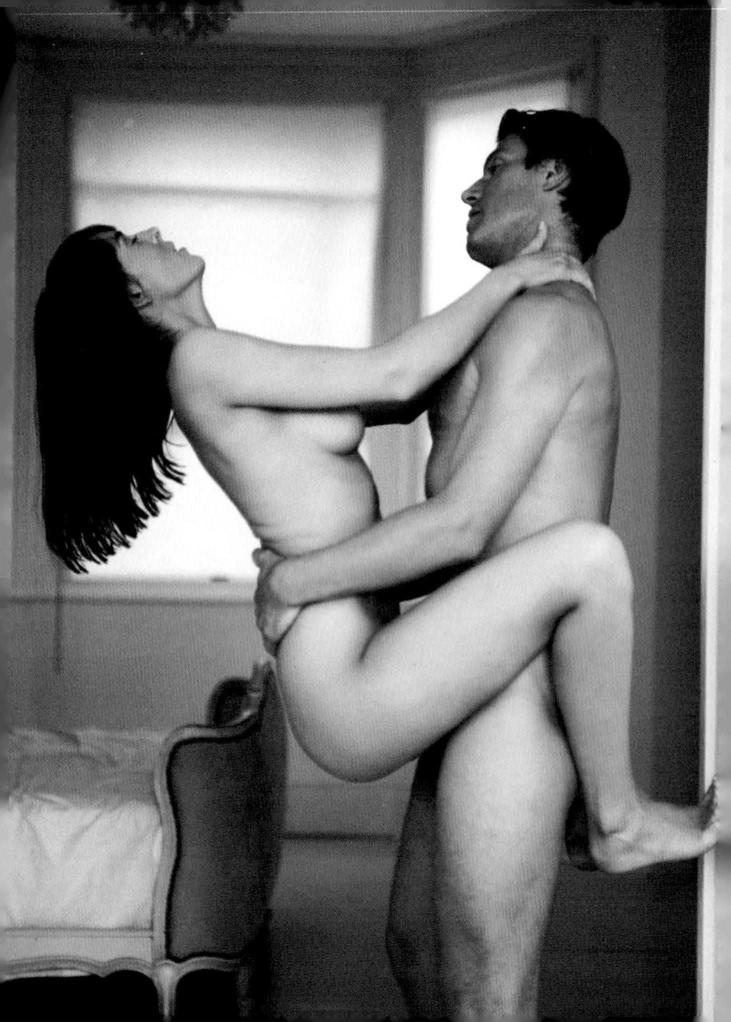

26
Penetração lenta e rápida

Ele ergue-a, e ela coloca seus braços ao redor do pescoço dele e suas pernas ao redor de sua cintura. Ela coloca seus pés em uma parede atrás dele para que dê suporte a uma parte de seu peso. Ele coloca as mãos ao redor da cintura da parceira e guia o corpo dela. Se esta posição ficar cansativa, o homem pode virar, de forma que as costas da mulher descansem, apoiando-se na parede – excelente para um beijo apaixonado em uma pausa no ato sexual em si.

Posição de grande abertura • Posição de grande abertura (2) • Posição de égua • Posição de Indrani • Tipos de toque • Posição pressionada • Posição semipressionada • Posição de levantamento • Pose de elefante • Dando prazer à *yoni* dela • Posição com as coxas pressionadas • Grande abelha • Posição com as pernas cruzadas • Dando prazer ao *lingam* dele • Segunda postura • Quarta postura • Sexta postura • A visão mútua das nádegas

Intenso e erótico

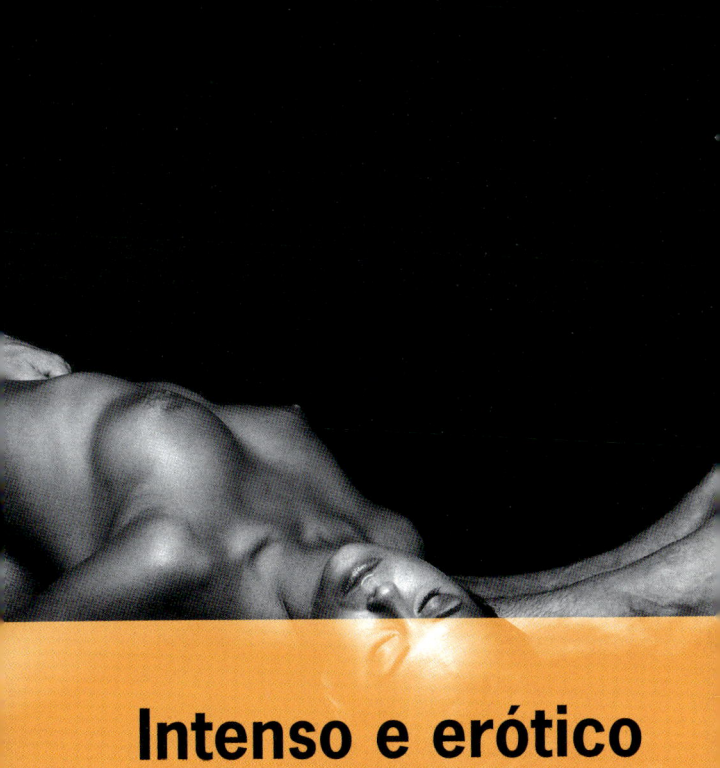

27
Posição de grande abertura

Ela fica deitada sobre suas costas e levanta as pernas de modo a descansá-las ao longo da parte frontal do corpo dele. Ele pode segurar as mãos dela para proporcionar apoio a ela, enquanto ele prossegue com os impulsos. Em uma variação desta posição, ele pode prender-se nos pés dela e empurrá-los, gentilmente, até que fiquem afastados um do outro (vide figura oposta); isso proporcionará a sensação de que ela está se abrindo completamente para ele – ela precisa ser completamente flexível na virilha para esta posição.

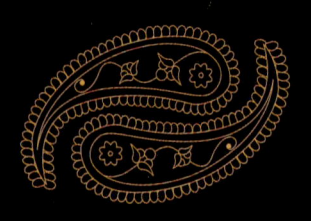

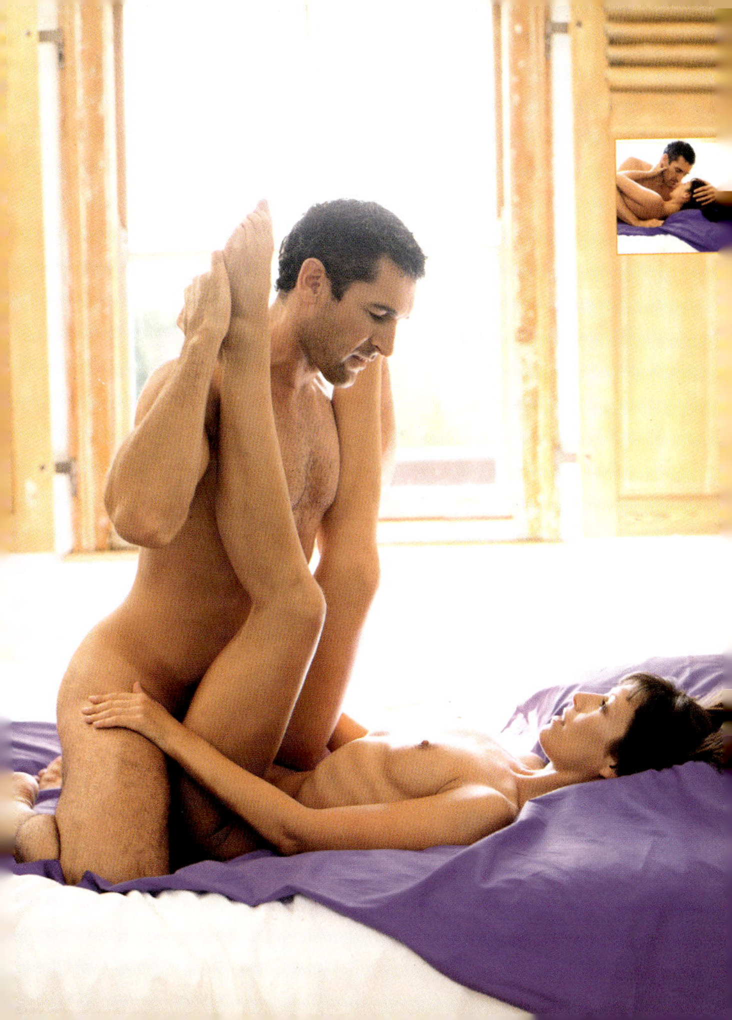

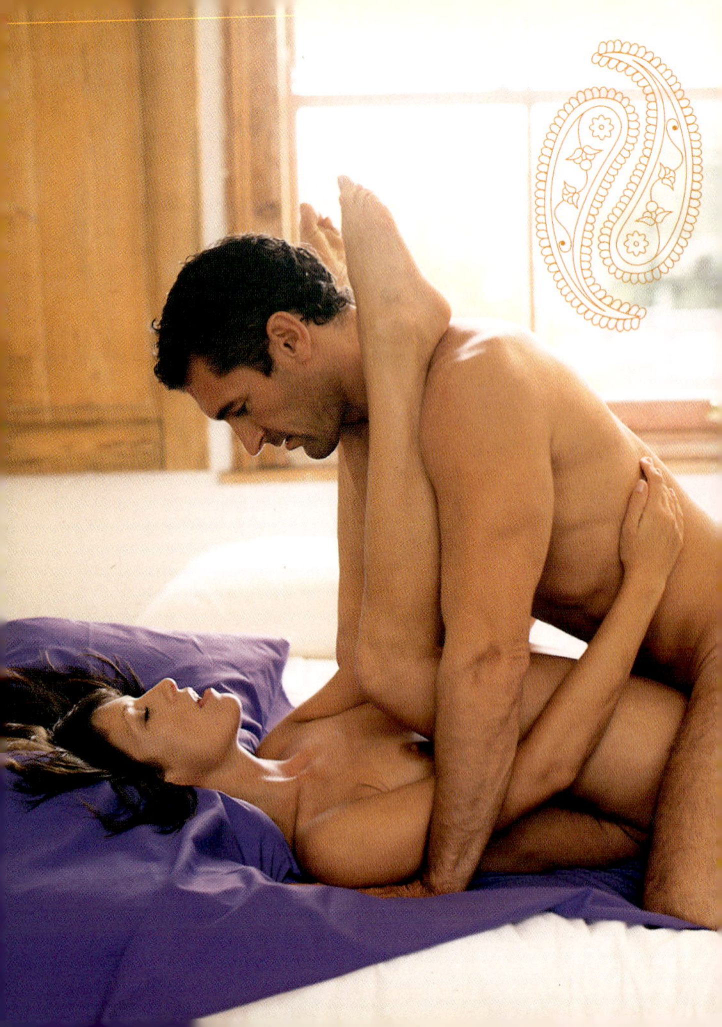

Intenso e erótico

28

Posição de grande abertura (2)

Progredindo a partir da posição de grande abertura, ela leva os joelhos até seus próprios ombros e descansa seus pés nos ombros dele. Ele deve começar com os impulsos, de forma lenta e gentil. Ela pode dar seu retorno a ele com relação ao que ela sente como sendo bom e pode pedir a ele para acelerar ou desacelerar.

29
Posição de égua

Esta é uma técnica, em vez de ser uma posição. Após a penetração, a mulher contrai seus músculos do amor (vide páginas 68-69) de modo que o homem se sinta fortemente apertado. Vocês podem tentar fazer isso nesta posição, entretanto, funciona especialmente quando a mulher se senta no colo do homem, com o rosto desviado do dele.

Uma vez que você tenha aperfeiçoado o ato de comprimir a vagina, tente realizar uma ação de bombeamento

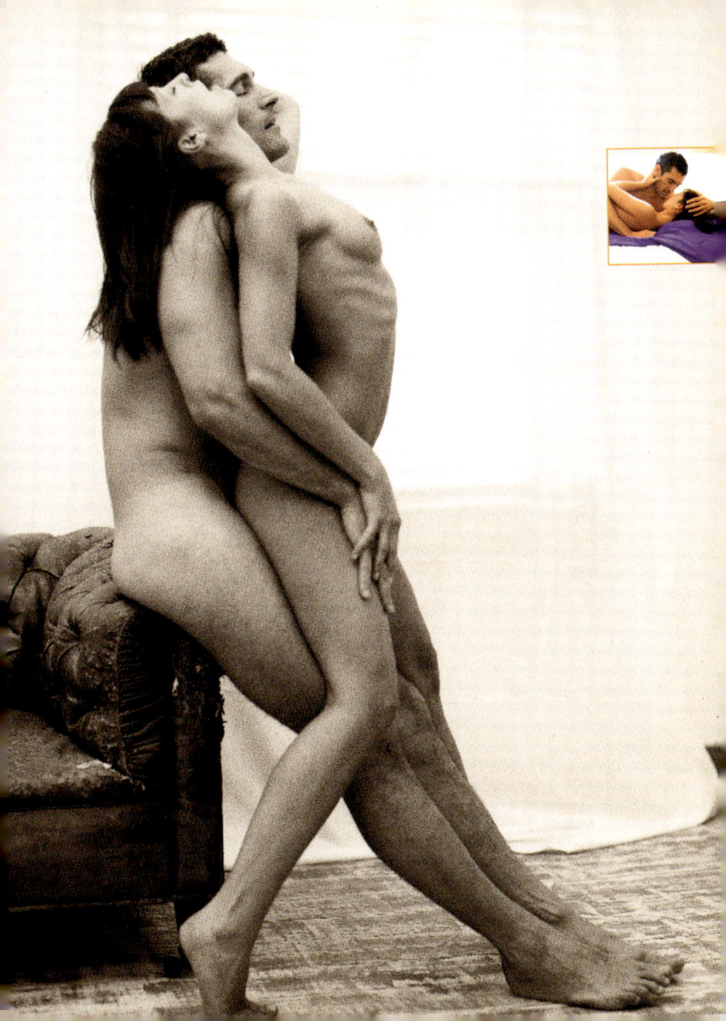

Intenso e erótico

30

Posição de Indrani[2]

Esta posição, na qual a mulher puxa seus joelhos para as laterais de seu corpo, é recomendada no *Kama Sutra* para o homem-lebre (com um pênis curto), devido ao fato de que possibilita à mulher sentir-se profundamente penetrada. O homem-elefante (com um pênis grande) deve tomar cuidado nesta posição devido ao fato de que a penetração pode ser desconfortável ou até mesmo dolorosa, caso o pênis atinja o colo do útero – é melhor prosseguir vagarosamente e esperar até que a mulher esteja extremamente excitada (a parte superior da vagina se estende e o útero fica estimulado no pico da excitação sexual e isso cria mais espaço para o pênis). Vocês podem não ser capazes de fazer sexo rápido e de forma furiosa nesta posição, entretanto, muitos casais a classificam como uma das melhores em termos de intensidade e erotismo. Tentem a comunicação apenas com os olhos.

---

2. N.T.: Feminino de Indra – significa "possuindo gotas de chuva", em sânscrito *indu* quer dizer "uma gota" e *ra* "possuindo". Indra é o nome do guerreiro hindu do céu e da chuva.

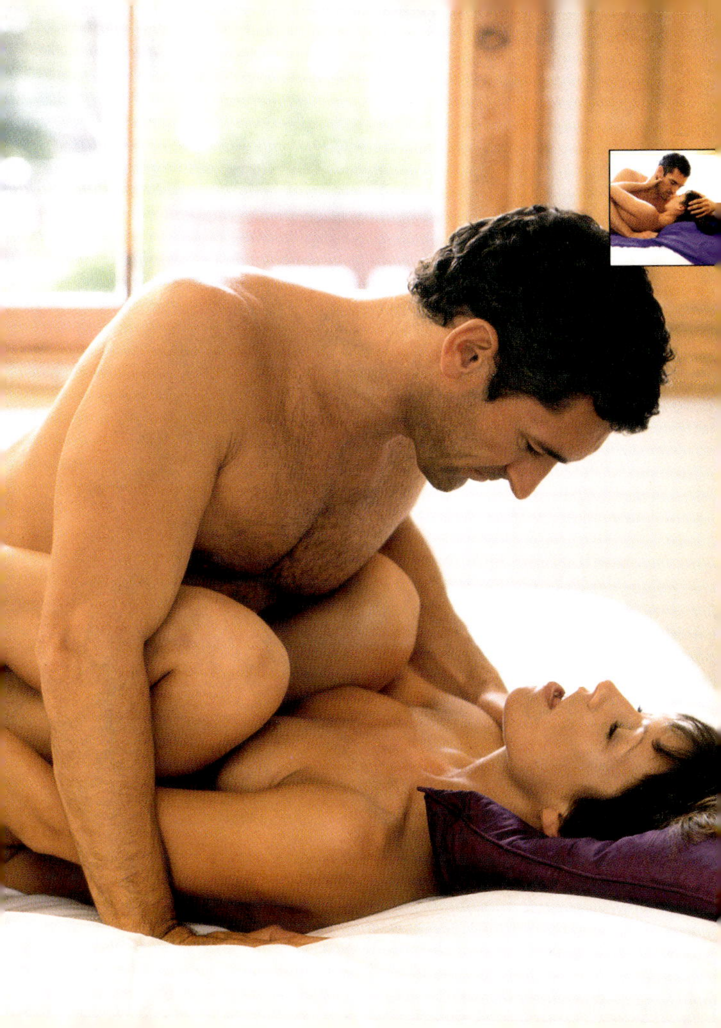

Tipos de toques

Use as mãos, o cabelo, os pés, os cotovelos, as pontas dos dedos, os dentes e a língua para assoprar, acariciar e massagear o corpo de seu(sua) amante. Experimente usar pressões diferentes.

Para criar as sensações mais sutis, use o ar que você exala como uma ferramenta de massagem; dê uma lambidela em uma linha ao longo da nuca de seu(sua) amante – ou de qualquer outra parte sensível do corpo – e, em seguida, assopre gentilmente ao longo da extensão daquela linha. Faça uma "caixa de brinquedos" de acessórios, tais como um lenço de seda de pescoço, uma bola de tênis e um colar de contas, e use-os para realizar experiências com o toque em seu(sua) amante. Acariciem a parte interna das coxas um do outro com as pontas de seus dedos, faça deslizar um cubo de gelo sobre os mamilos dela, use um pincel macio para acariciar o pênis e os testículos dele, chicoteie de leve as partes internas dos pulsos dele com sua língua, ou roce levemente as pontas dos dedos dele com seus dentes. Massageie partes do corpo que você poderia nem pensar em massagear: os lóbulos da orelha, as palmas das mãos ou ao longo da linha do maxilar.

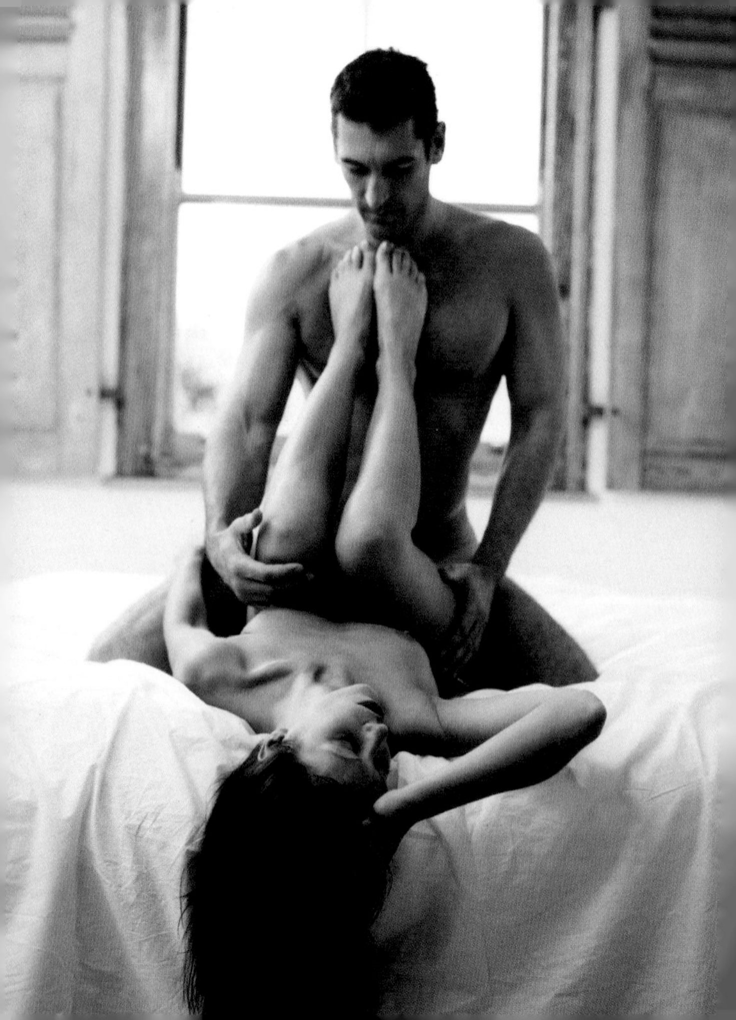

Intenso e erótico

31
Posição pressionada

Ela fica deitada de costas, e ele puxa os joelhos dela em direção a seu peito. Ele a ergue e a penetra em uma posição de joelhos. Ela pode usar as pontas dos dedos para arranhar levemente as coxas dele ou pode acariciar seu clitóris. Ela também pode adicionar um tempero extra, alcançando as suas próprias coxas com as mãos e prendendo a cintura do homem, também com as mãos. Isso permite que ela faça movimentos de puxar e empurrar em direção ao corpo dele.

32
Posição semipressionada

Após a Posição Pressionada (vide página 91), ela estica uma das pernas de forma que as pontas de seus pés tentem tocar o teto. Isso altera as sensações que ela vivencia, ao criar mais espaço na vagina, além de oferecer um intervalo de "descanso" em penetração extremamente profunda. Também fica mais fácil para a mulher acariciar seu clitóris nesta posição.

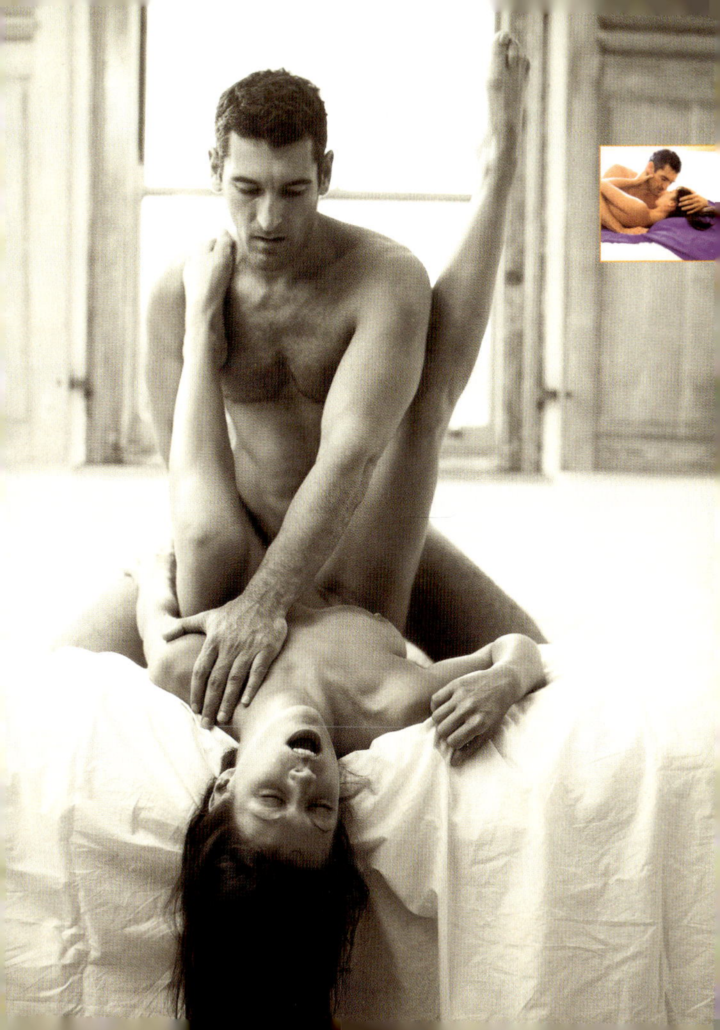

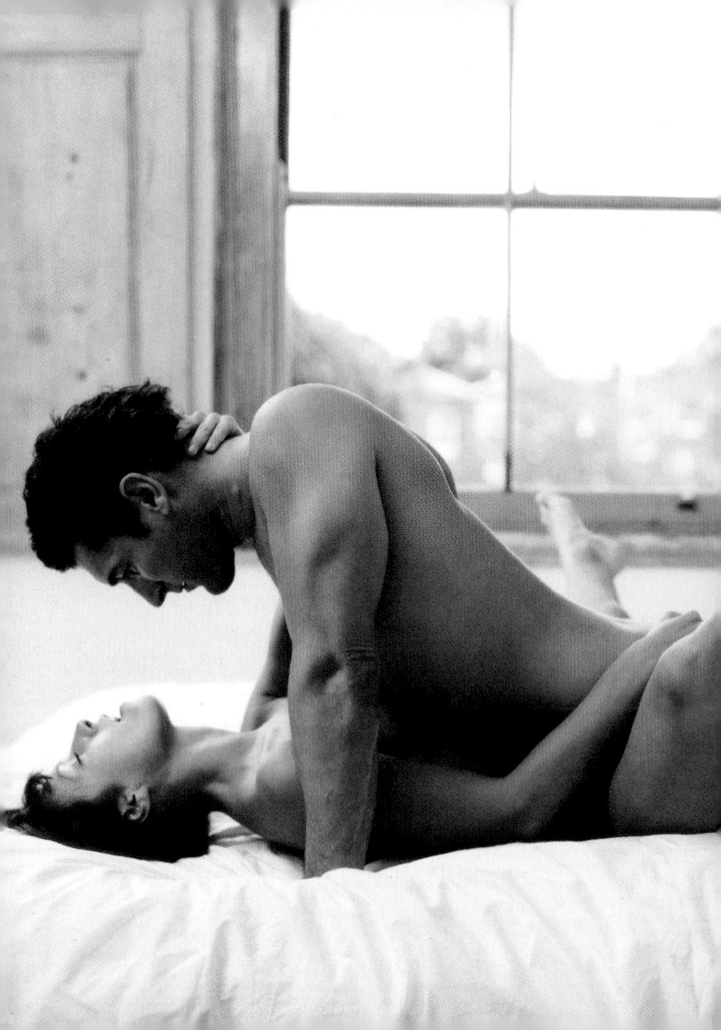

Intenso e erótico

33 Posição de elevação

Ela fica deitada de costas com as pernas levantadas no ar de modo a criar uma forma em "V" ampla (ela deve afastar as pernas o máximo que conseguir), e ele se inclina entre as pernas dela de modo a penetrá-la. Uma vantagem da Posição de Elevação para o homem é o fato de que ele pode se curvar para trás e observar seu pênis se movendo para dentro e para fora da vagina dela. Se a profundidade do pênis ficar intensa demais nesta posição, ela pode curvar seus joelhos e colocar seus pés na cama. Se ela desejar ser penetrada mais profundamente, pode colocar os joelhos na direção de seu próprio peito. Faça experimentos com o ângulo das pernas dela para a descobrir o que fica melhor para vocês dois.

Intenso e erótico

34
Pose de elefante

Ela fica deitada de bruços, e ele penetra-a por trás. Para aumentar a profundidade da penetração, a mulher pode esticar suas pernas bem amplamente. Você também pode colocar um ou mais travesseiros ou almofadas sob a pélvis da mulher de modo a tornar a entrada vaginal dela mais acessível. As mulheres também podem aperfeiçoar seu deleite, concentrando-se nas sensações emanadas do ponto G, enquanto o homem massageia a parede frontal da sua vagina com o pênis dele.

Dando prazer à *yoni*[3] dela

Cubra suas mãos com uma camada de óleo de massagem e pressione uma das palmas de sua mão, aberta, na vulva de sua amante, de modo a permitir que ela desfrute da sensação que se espalha vagarosamente através de seus genitais e de sua pélvis. Agora, use sua mão para acariciar a extensão da vulva dela da parte da frente para a parte de trás. Massageie-a e puxe carinhosamente os lábios internos e externos. Em seguida, escorregue gentilmente seu dedo mais longo para o interior da vagina (conforme ela ficar mais excitada, você pode inserir mais dedos).

---

3. N.T.: Uma representação estilizada de uma vulva, adorada como um símbolo de uma deusa ou Shakti (o poder ativo manifesto que cria o Universo – a consorte da expressão masculina da divindade, especialmente do deus Shiva).

Explore a parte interna da vagina movendo seu(s) dedo(s) para cima e para baixo e em movimentos circulares. Então, retire seu(s) dedo(s) e, sem quebrar o contato, use seu indicador para fazer movimentos gentis, em círculos, ao redor da área do clitóris. Após um momento, alterne estes movimentos com movimentos repentinos e repetidos ou cócegas no clitóris. Coloque seu(s) dedo(s) de volta dentro da vagina, mas desta vez descanse a ponta de seu polegar no clitóris de forma que, conforme você mover seus dedos para dentro e para fora, ele seja estimulado também.

100|101 Intenso e erótico

35

Ela fica deitada, de costas, ergue suas pernas no ar e pressiona as coxas para que fiquem próximas uma da outra. Ela pode descansar suas pernas sobre um dos ombros dele ou ao longo da parte central do corpo dele. Ele pode segurar nas coxas dela conforme segue com impulsos para dentro e para fora da vagina, ou, pode deslizar suas mãos sob as nádegas dela e fazer movimentos com elas para cima e para baixo. Algumas mulheres acham mais fácil contrair seus músculos do amor (vide páginas 68-69) fortemente ao redor do pênis quando suas coxas estão pressionadas e juntas nesta posição – experimente fazer isso.

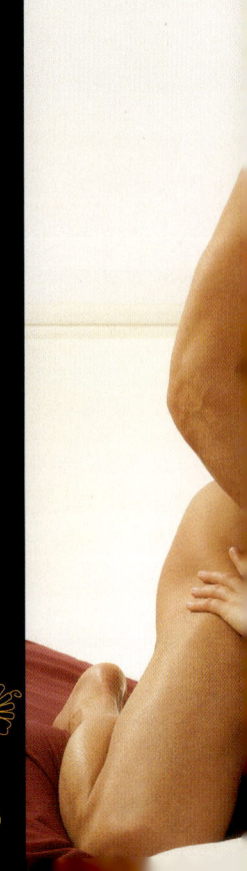

Posição com as coxas pressionadas

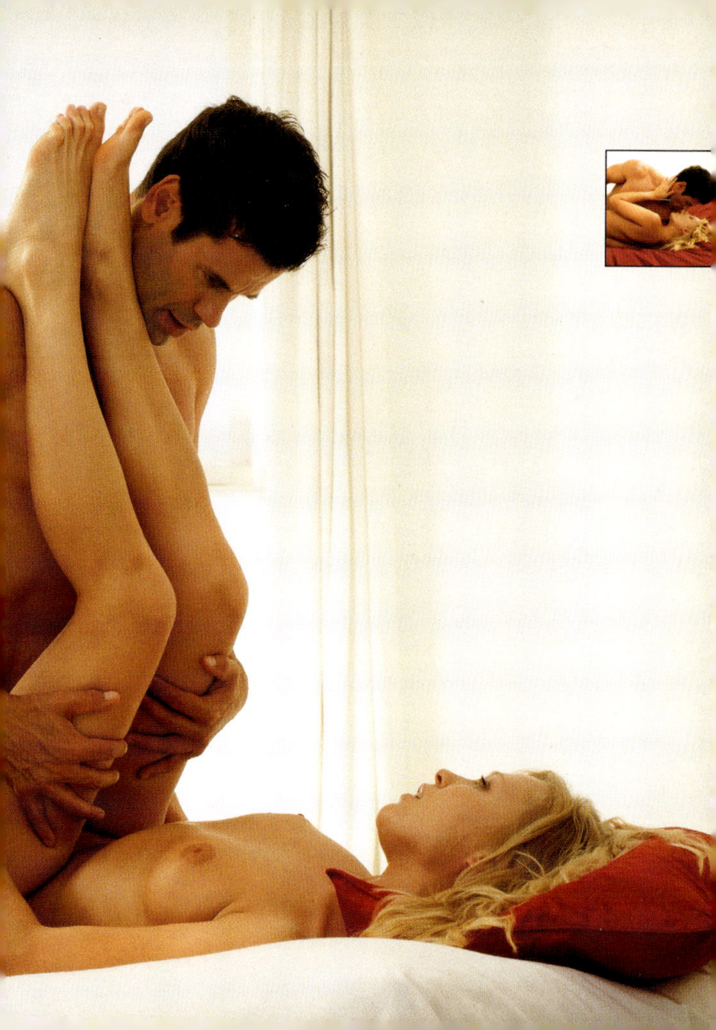

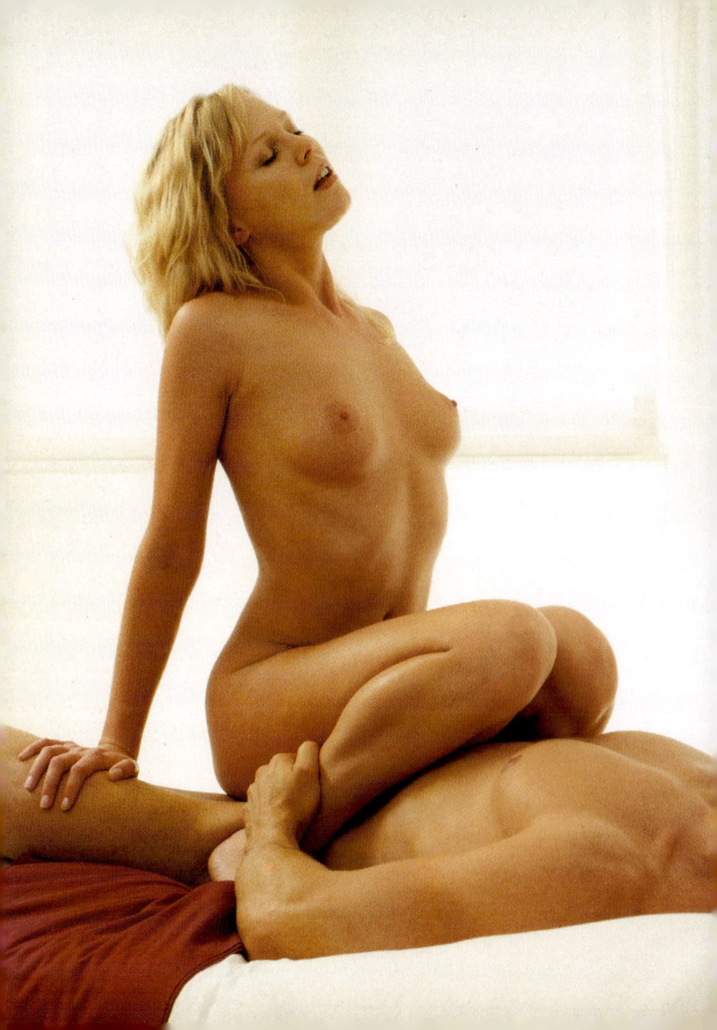

Intenso e erótico **102|103**

36

Grande abelha

Ele fica deitado de costas e ela se abaixa sobre ele em uma posição de acocoramento (ela é descrita como sendo similar a uma grande abelha). Logo que ele estiver dentro dela, ela fecha as pernas. O *Ananga Ranga* recomenda que a mulher se satisfaça nesta posição "agitando-se violentamente" – movendo sua cintura em uma moção circular. Uma variação desta posição envolve a mulher abrindo suas pernas e inclinando-se para a frente de forma a colocar suas mãos no peito de seu amante. Agora, ela faz movimentos com seu corpo, para cima e para baixo, montada no pênis dele – ele pode usar as mãos para ajudá-la a guiar seus movimentos.

Intenso e erótico

37

Posição com as pernas cruzadas

Comece em uma posição com a mulher por cima: ele fica deitado com as costas para baixo, e ela senta-se montada nele, com uma perna para cada lado. Quando estiverem prontos para mudar a posição, ele cruza as pernas enquanto se move da posição deitada e se coloca em uma posição em que fique sentado. Ele mantém suas pernas cruzadas, e ela senta-se no colo dele com as pernas descansando em qualquer um dos lados do corpo dele. Ele pode colocar as mãos nos ombros dela. Vocês não conseguem mover-se com liberdade nesta posição, mas é uma posição maravilhosa por permitir que seus corpos se derretam um no outro, e proporciona a possibilidade de vocês se beijarem apaixonadamente. Se vocês sentem prazer com o uso de brinquedos sexuais, é fácil incorporar um vibrador nesta posição; ela pode segurar a ponta do vibrador encostada em seu clitóris. De uma maneira alternativa, ela pode ficar deitada com as costas apoiadas na cama e ele pode estimulá-la com o vibrador ou com suas mãos.

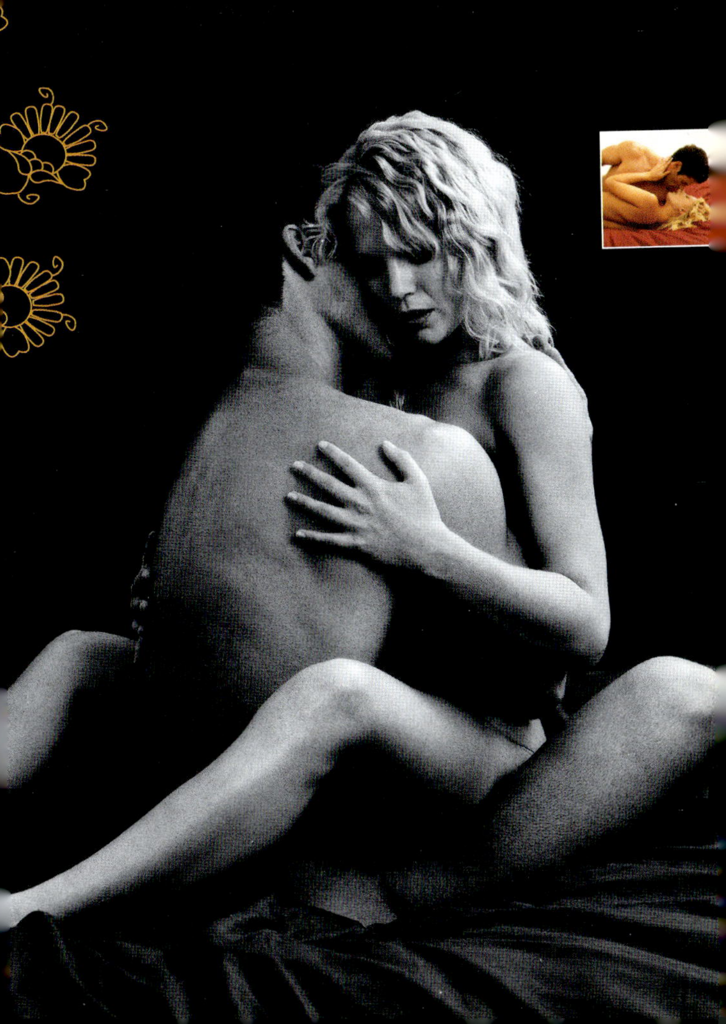

Dando prazer ao *lingam*[4] dele

Coloque em suas mãos uma camada de óleo de massagem e descanse uma das mãos sobre o pênis e os testículos dele.

Em seguida, envolva o pênis dele com as duas mãos. Role-o gentilmente entre suas palmas e, em seguida, entrelace os dedos e mova as partes de baixo de suas mãos para que fiquem unidas, de forma que o pênis dele fique completamente cingido. Se o pênis dele for longo o bastante (ou se estiver ereto o bastante), descanse as pontas internas de seus polegares na dobra

---
4. N.T.: Um falo estilizado, adorado como um símbolo do deus Shiva.

de tecido que restringe os movimentos do pênis (esta faixa de pele que liga o prepúcio ao eixo). Agora, torne mais firme sua pegada e deslize suas mãos entrelaçadas ao longo da extensão do eixo dele e sobre a parte superior das glandes. Use pressões e velocidades variáveis – você pode introduzir um movimento de serpenteamento se quiser. Você também pode usar a ponta de seu indicador para traçar uma linha a partir da ponta das glandes em todo o caminho para baixo até o períneo e o ânus, ou segurar a base do pênis firmemente em uma das mãos, enquanto usa a parte interna da ponta de seu polegar em sua outra mão para massagear o frênulo em minúsculos círculos.

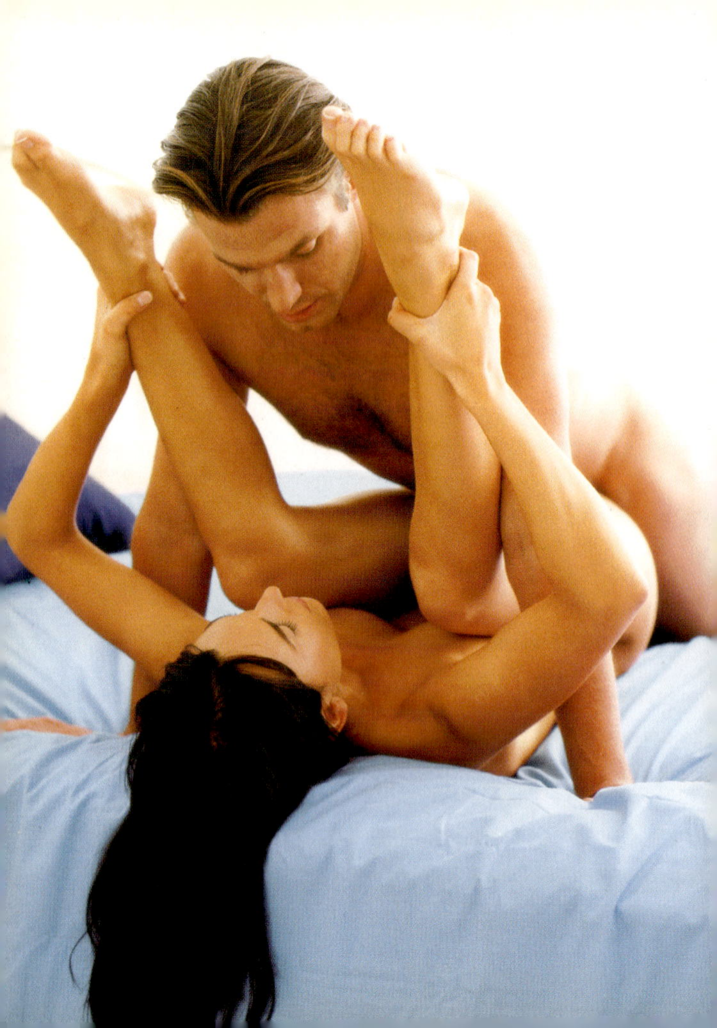

38
Segunda postura

Esta posição requer muita flexibilidade da parte da mulher: ela fica deitada com apoio das costas e levanta suas pernas de forma que seus dedos dos pés fiquem sobre as orelhas dela.

Ele fica por cima dela e a penetra.

Os homens bem dotados devem mover-se de forma mais gentil na Segunda Postura, devido ao fato de que a vagina fica contraída e os impulsos vigorosos com o pênis podem ser desconfortáveis.

39
Quarta postura

Ela deita-se de costas e coloca as pernas sobre os ombros dele. A parte inferior do corpo dela descansa ao longo da parte frontal das coxas dele, de forma que sua pélvis fique levantada.

O pênis do homem fica exatamente em oposição à vulva da mulher nesta posição. Ela pode usar ambas as mãos para acariciar as coxas dele, seus próprios seios ou seu clitóris.

Conforme ele se move dentro dela, ele pode pedir que ela o guie com relação à velocidade e à profundidade.

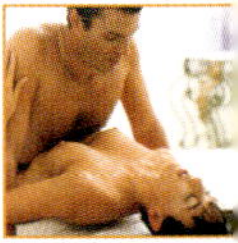

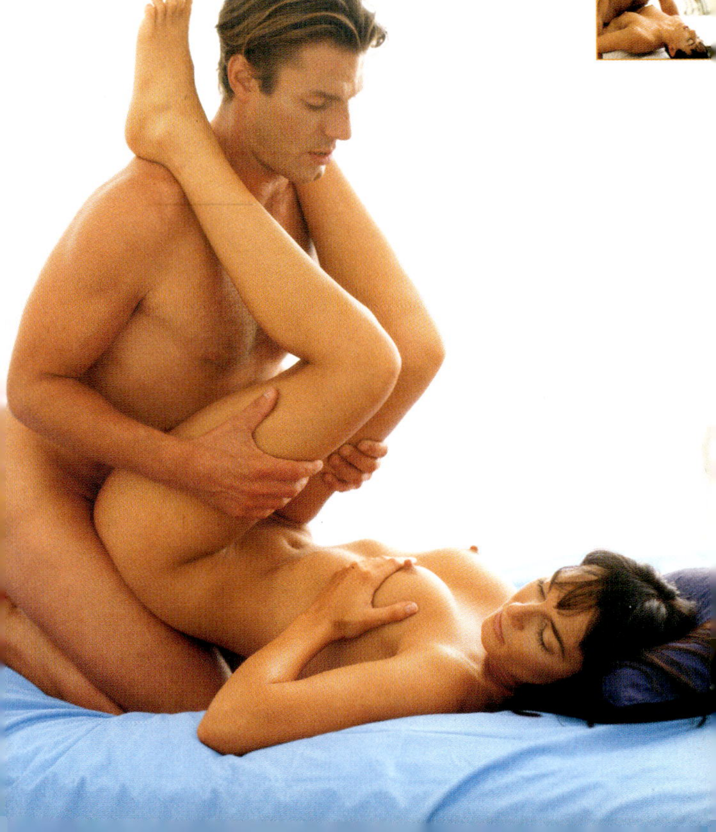

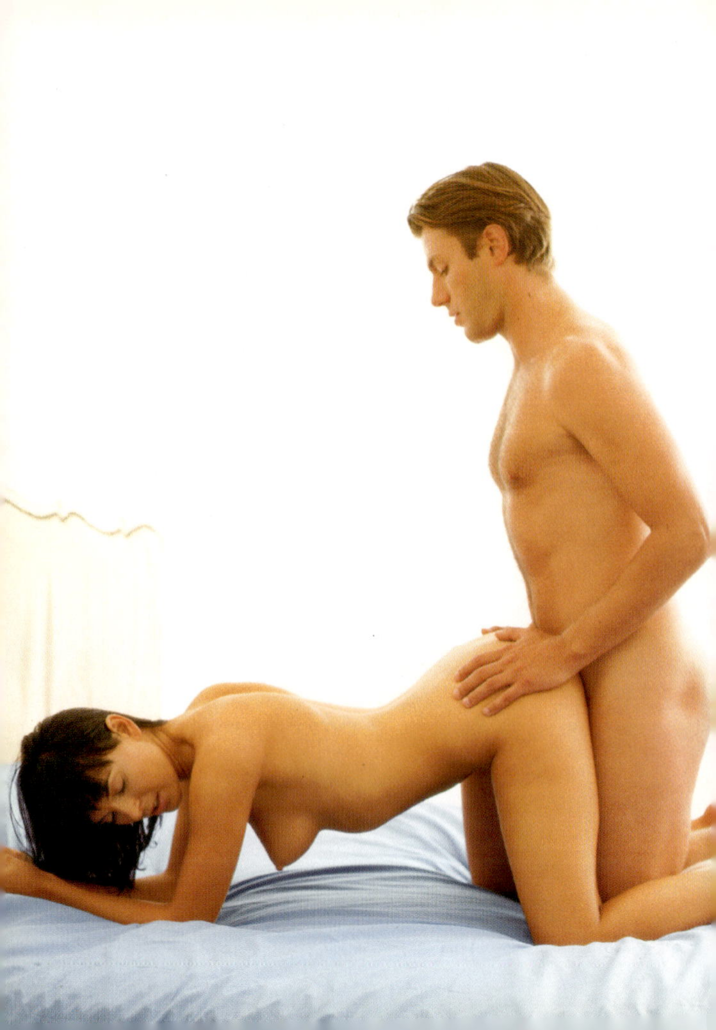

Intenso e erótico

40
Sexta postura

Ela descansa sobre seus próprios joelhos e cotovelos, e ele penetra-a em uma posição em que fica ajoelhado. Ele pode usar ambas as mãos para segurar as nádegas da parceira, acariciar os seios e os mamilos ou simplesmente mover o corpo dela para a frente e para trás. Ela pode aprofundar a penetração abaixando a parte superior de seu próprio corpo em direção ao chão ou tornar a penetração mais rasa ajoelhando-se na vertical, de forma que o corpo dela fique em paralelo com o dele.

114|115   Intenso e erótico

41

A visão mútua das nádegas

Ele fica deitado de costas, e ela senta-se sobre ele, também de costas, e guia o pênis dele para dentro de seu corpo. Ele dobra seus joelhos e usa suas coxas para pressioná-la. Ela se curva para a frente e toca o solo com as mãos. Vocês conseguem ver as curvas das nádegas um do outro nesta posição e, se ela se mover para cima e para baixo, montada nele, vocês dois podem observar o pênis deslizando para dentro e para fora da vagina. Em uma variação desta posição, ela pode ficar sentada com o corpo na vertical e prender-se nos joelhos dele. Ele pode acariciar as nádegas dela e correr as pontas de seus dedos nas costas dela abaixo para obter um efeito de arrepiar a espinha, quando ela estiver próxima do orgasmo.

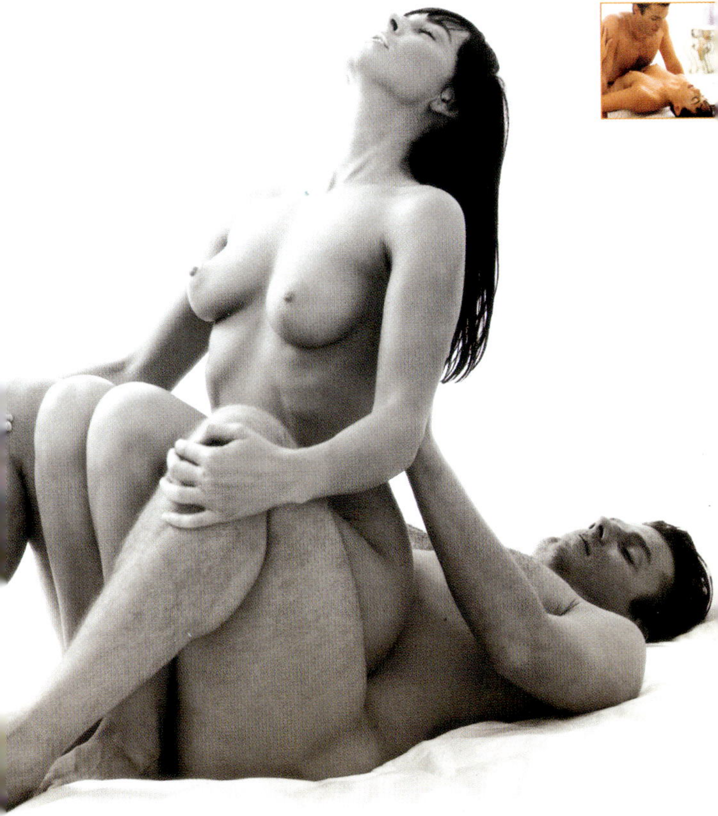

Posição de envoltório • Fixando o prego • Partindo um bambu
• Posição de lótus • Proezas com a boca para ela • Posição de elevação
• Posição sentando no topo • Terceira postura • Sétima postura
• Proezas com a boca para ele • Décima postura
• Cavalgando o membro • Puxando o arço

Ousado e penetrante

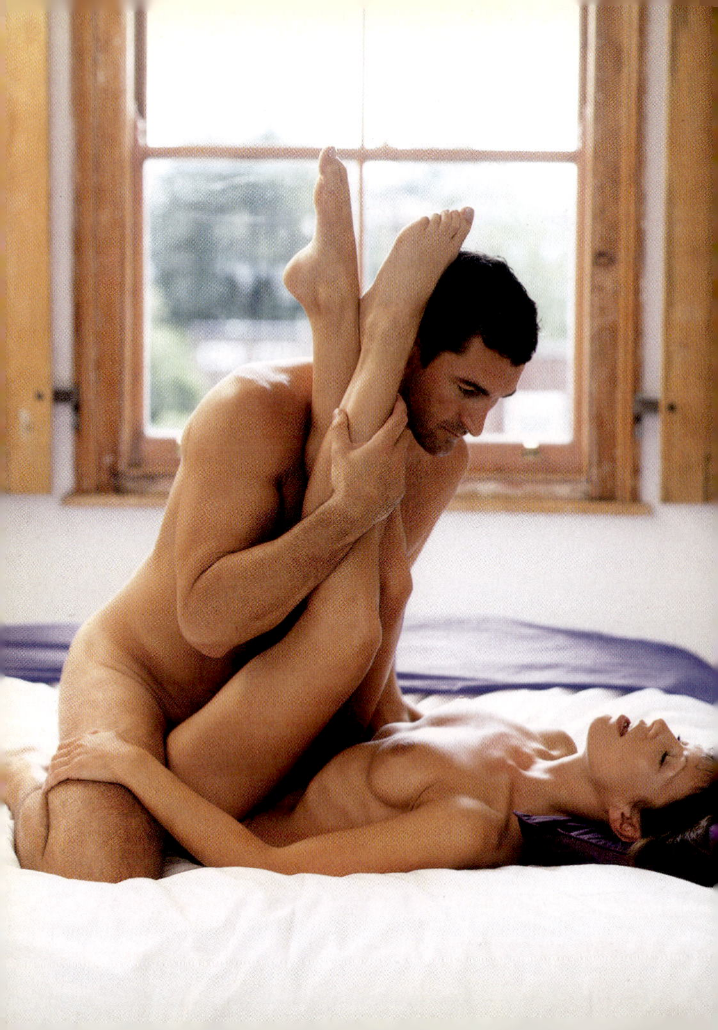

42
Posição de envoltório

Ela deita com as costas para baixo, ergue suas pernas no ar e cruza-as. Ela pode descansar suas pernas cruzadas no ombro dele depois que ele a tiver penetrado ou ele pode tratar as pernas dela como se estas fossem um mastro vertical no qual ele possa se apoiar. A mulher tem pouca liberdade de movimento nesta posição, e o elemento de entrega feminino e da dominação masculina pode ser excitante para ambos.

43
Fixando o prego

Nesta posição divertida, ela estica uma perna no chão ou na cama e descansa o calcanhar de seu outro pé na testa dele.

Seu pé levantado age como um martelo que bate no prego – a cabeça dele! – em direção a uma parede. Para que ela mantenha seu calcanhar na testa dele, o ato de fazer amor precisa ser lento e ponderado em vez de ser rápido e furioso.

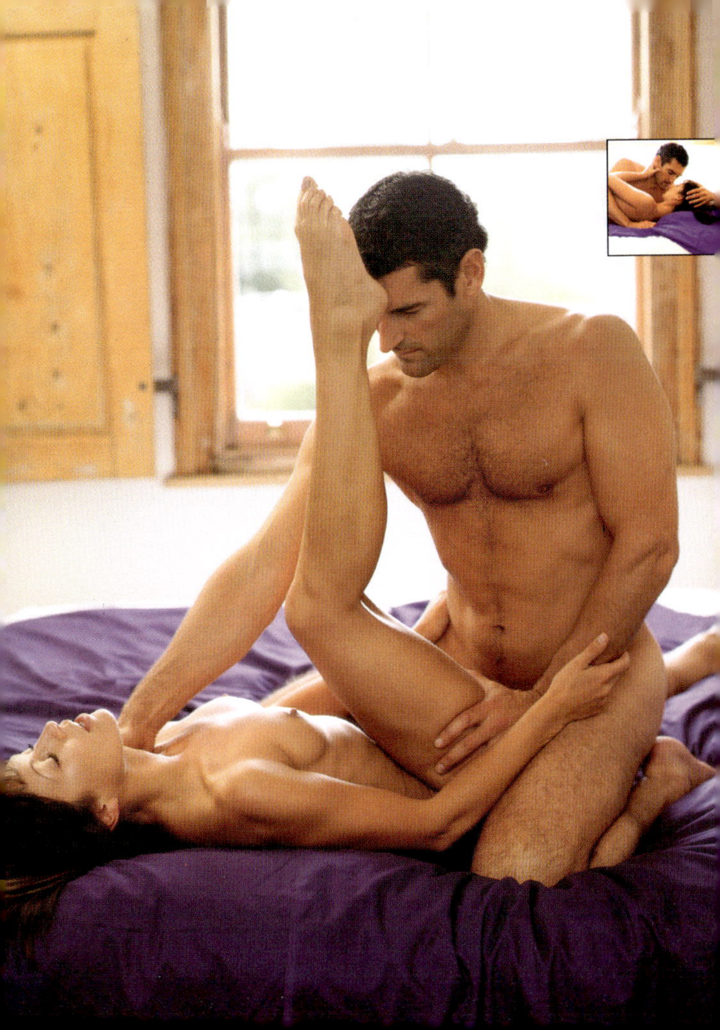

Ousado e penetrante

44
Partindo um bambu

Nesta pose dinâmica, a mulher muda as posições de suas pernas durante todo o ato de fazer amor. Ela começa com uma perna enganchada sobre o ombro do homem e uma perna estirada no chão ou na cama.

Em seguida, ela move a perna que está para cima de volta para baixo e a perna esticada, para cima (ele pode ajudá-la a erguer e baixar suas pernas). Ela fica alternando suas pernas desta maneira por quanto tempo ambos conseguirem agüentar nesta posição. O principal benefício disso é que o ângulo do pênis na vagina fica mudando o tempo todo, produzindo uma variedade de sensações para ambos. Dependendo da flexibilidade da mulher, o homem pode ficar deitado por cima e beijar a boca da mulher... ou pode ficar ajoelhado, em uma posição vertical.

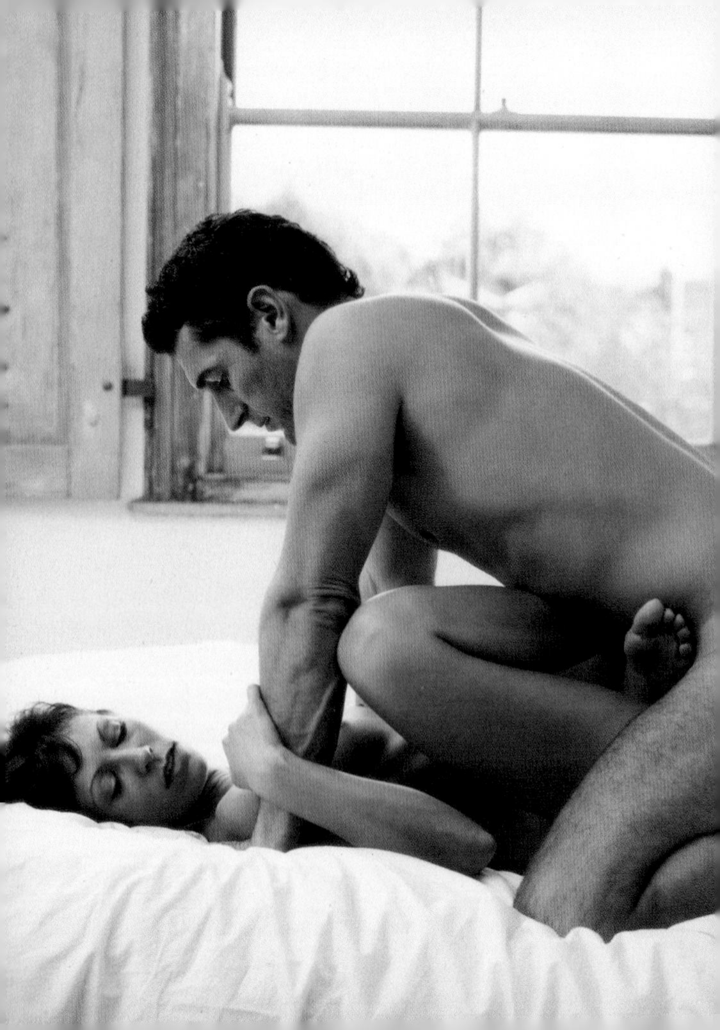

Ousado e penetrante 124|125

45

Posição de lótus[5]

O Lótus é uma postura avançada de yoga que deveria ser praticada antes de tentar fazê-la durante o sexo: sente-se no chão ou na cama em uma posição vertical. Curve sua perna direita e contraia seu calcanhar fortemente em direção à cavidade de seu quadril direito. Agora, erga seu pé esquerdo em direção à sua coxa direita o mais próximo da cavidade de seu quadril direito. Até mesmo sustentar esta pose de yoga durante um curto período de tempo em uma base regular melhorará a flexibilidade de seus quadris e de sua virilha. Agora, tente esta pose enquanto estiver deitada e deixe que seu amante a penetre. Algumas mulheres desfrutam com prazer da natureza apertada e compacta desta posição durante o sexo, entretanto, pode ser difícil conseguir mantê-la. Se achar esta posição difícil ou desconfortável, simplesmente cruze suas pernas em vez disso.

---

5. N.T.: Uma posição, com a pessoa sentada com as pernas cruzadas, usada no Yoga.

Proezas com a boca para ela

Faça experimentos com estas carícias. Peça a ela bastante retorno informativo com relação ao que ela gosta ou peça que ela lamba ou sugue a ponta de seu dedo mindinho da forma como ela gostaria que você estimulasse o clitóris.

- Faça movimentos rápidos e repetidos com a ponta da sua língua de lado a lado ou de trás para a frente no clitóris dela.
- Pressione seus lábios ao redor do gancho do clitóris e o sugue, usando a língua para fazer os movimentos repentinos e repetidos, lamba-o ou faça carícias no clitóris com a boca.

- Deixe sua língua relaxada e estendida e faça amplos movimentos de carícias em toda a área do clitóris.
- Use a ponta de sua língua para fazer movimentos circulares no clitóris, variando a velocidade.
- Coloque seus primeiros dois dedos estendidos em cada um dos lados do gancho do clitóris e, em seguida, comprima-os de forma que fiquem unidos, de forma a movê-lo para cima e para baixo. Agora, lamba o clitóris de forma muito gentil e delicada.
- Use sua língua no clitóris enquanto insere seus dedos mais longos na vagina e massageia o ponto G durante todo o caminho até o orgasmo.

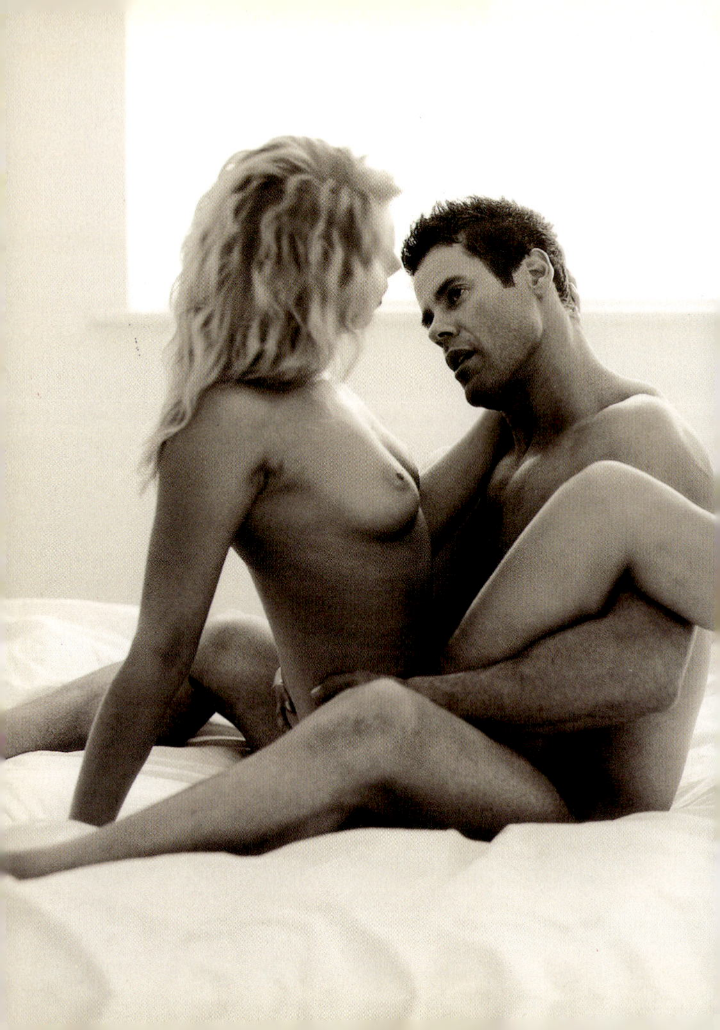

Ousado e penetrante 128|129

46

Ele senta-se a sua frente, com as pernas voltadas para fora, e ela senta-se no colo dele com as pernas enganchadas sobre seus cotovelos. Os pés dela não tocam o chão ou a cama, e ele abraça o corpo dela com ambas as mãos. O *Ananga Ranga* sugere que o homem levante a mulher e mova-a da esquerda para a direita em seu pênis (mas não para cima nem para baixo) até o "supremo momento". A mulher pode apoiar uma parte do seu peso curvando-se para trás com apoio em suas próprias mãos.

Posição de levantamento

47
Posição sentando no topo

Ele fica deitado de costas, e ela senta-se com as pernas cruzadas sobre ele. Qualquer um dos parceiros pode controlar o ritmo e o compasso do ato de fazer amor: ele pode agarrar a cintura dela e movê-la para trás e para a frente ou ela

Ousado e penetrante   130|131

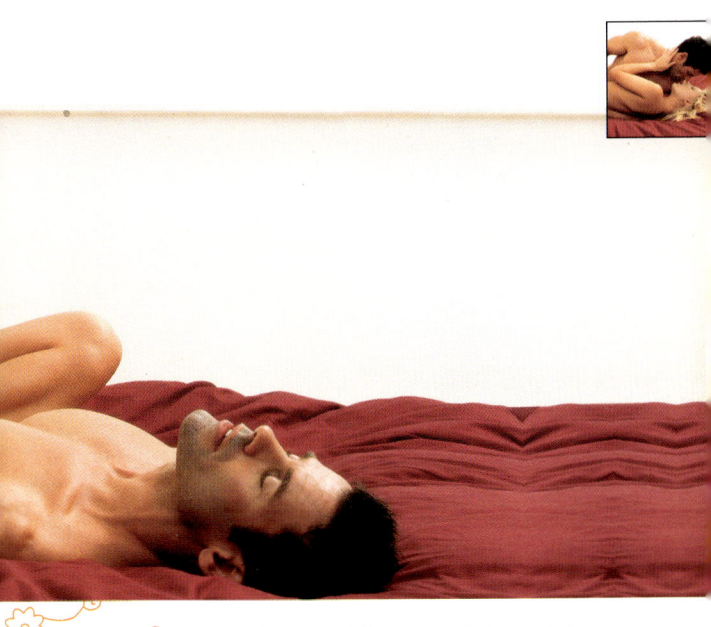

pode torcer e balançar sua pélvis e contrair seus músculos do amor ao redor dele (vide páginas 68-69). O homem tem o erotismo adicional de ser capaz de observá-la masturbar-se até chegar ao orgasmo nesta posição.

48
Terceira postura

Ele deita-se por cima dela com uma das pernas sob o braço dele e a outra perna dela sobre o ombro dele.

Embora não tenha muita liberdade de movimento, ela pode mover sinuosamente os quadris e contrair seus músculos do amor ao redor do pênis dele (vide páginas 68-69). Também fica fácil para ela tocar os seus mamilos e seu clitóris com seus próprios dedos nesta posição.

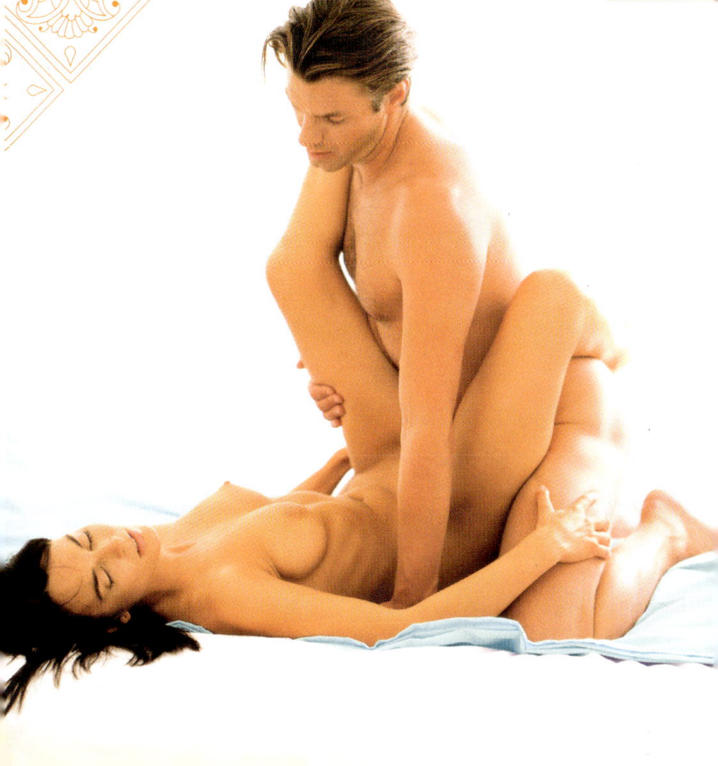

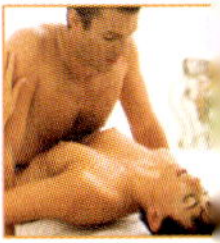

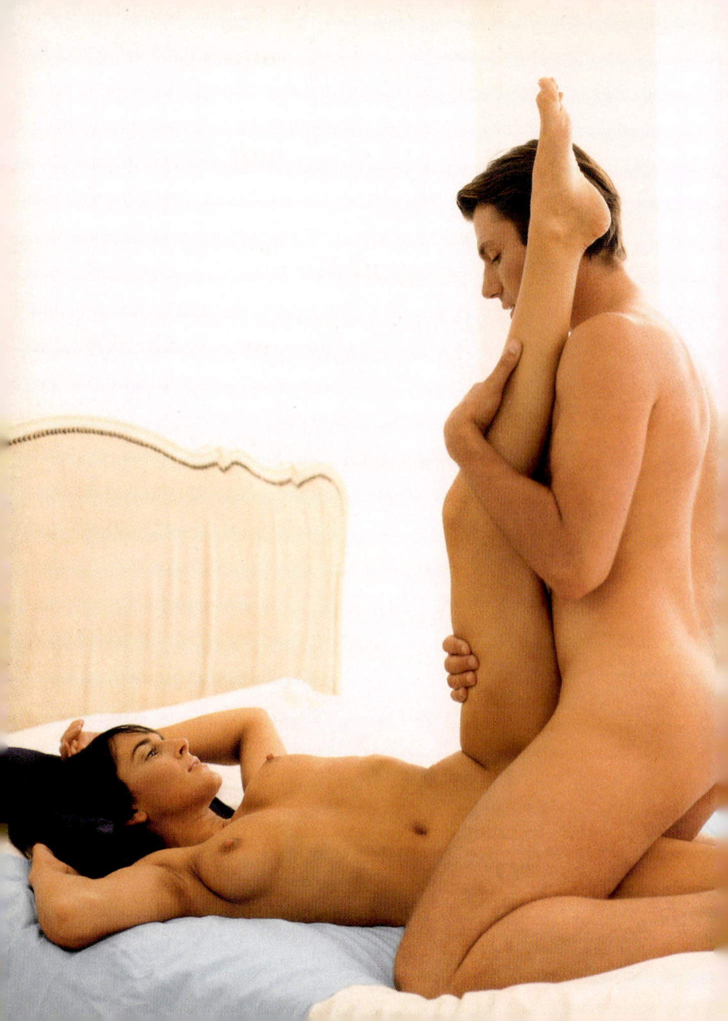

Ousado e penetrante

49

Ele ajoelha-se com suas pernas em qualquer um dos lados da perna estendida dela. Ela, em seguida, levanta sua perna livre e descansa-a sobre o ombro dele. Nefzawi especifica que a penetração deve ocorrer com a mulher de lado, entretanto, a menos que ela seja excepcionalmente flexível, pode ser mais fácil se a mulher ficar deitada com as costas voltadas para baixo ou, simplesmente, se ela se inclinar levemente para um dos lados. Se ela desejar tentar a posição em que ela fica de lado, pode ser de grande valia segurar o pé de sua perna levantada e empurrá-lo em direção a seu corpo de forma a tornar sua entrada vaginal mais acessível.

Sétima postura

Proezas com a boca para ele

Estas oito técnicas de sexo oral devem ser realizadas uma após a outra:
- **Ato Sexual (União) Nominal:** segure o pênis em sua mão e acaricie o topo deste com seus lábios e com sua língua.
- **Morder nas Laterais:** segure a ponta do pênis com seus dedos, envolva-o a seguir e mordisque as partes laterais dele.
- **Pressão Externa:** pressione seus lábios ao redor das glandes dele em um movimento forte e fechado, depois mova sua boca para cima e para baixo, sugando, enquanto realiza este ato.

envolver e

- **Pressão na Parte Interna:** coloque o máximo da extensão do pênis que você agüentar em sua boca e pressione seus lábios ao redor do eixo dele.
- **Beijos:** segure o pênis dele em suas mãos e cubra-o com muitos beijos.
- **Esfregar:** lamba o pênis e faça um turbilhão com sua língua ao redor das glandes dele.
- **Sugando uma Fruta de Manga:** circunde a metade superior do pênis em sua boca e sugue-o.
- **Engolindo Tudo:** introduza todo o pênis em sua boca e sugue-o.

mordiscar

50
Décima postura

Ela deita com as costas apoiadas na cama, segura firmemente à cabeceira e agarra os quadris dele com suas pernas. Ele a penetra, erguendo sua pélvis enquanto realiza este ato.

Ela usa os músculos de sua perna para empurrar e puxar o seu corpo para trás e para a frente em direção ao pênis dele. Ele sincroniza seu ritmo com o dela. Se ficar difícil mover-se nesta posição, a mulher pode deixar cair seus quadris em direção à cama.

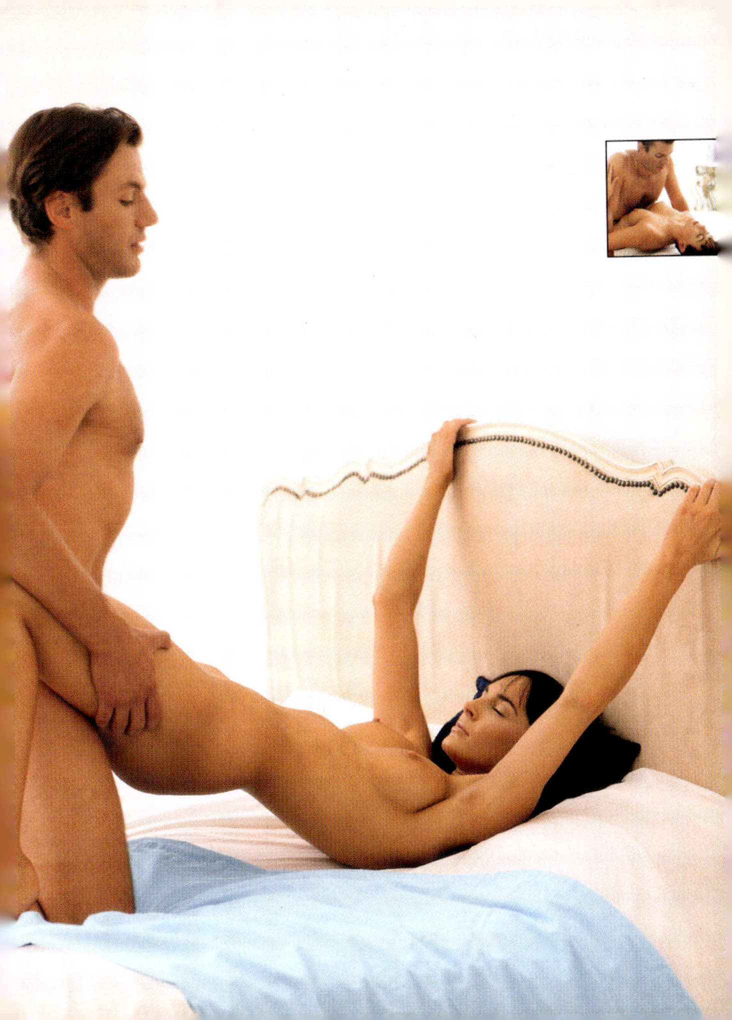

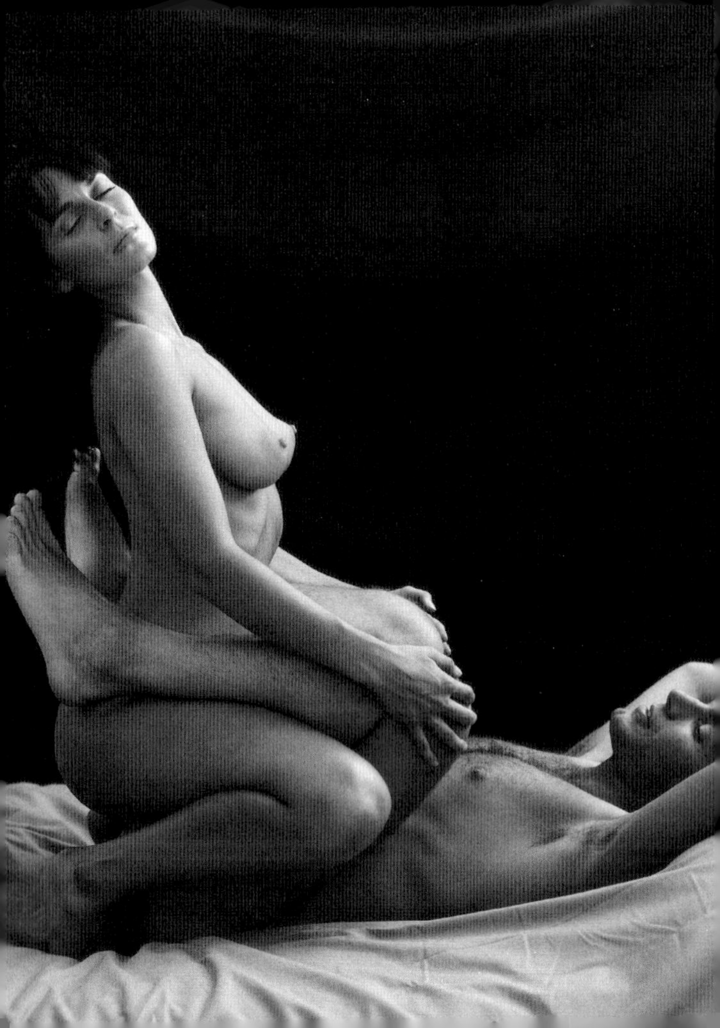

Ousado e penetrante **140|141**

51
Cavalgando o membro

Ele deita-se com uma almofada sob seus ombros e ergue seus joelhos em direção a seus próprios ombros. Ela fica montada nele, com uma perna para cada um dos lados, e abaixa-se em direção ao pênis dele. Ou ela se move para cima e para baixo ou ele a movimenta com as pernas enquanto ela agarra os joelhos ou os ombros dele para obter apoio. Tentem curvar-se de forma que seus rostos fiquem próximos a tocarem um no outro.

142|143 Ousado e penetrante

Puxando o arco

52

Ela fica deitada de lado, e ele fica deitado atrás dela entre as suas pernas. Ele coloca uma ou ambas as mãos nos ombros dela e ela agarra os pés dele e os empurra em direção a si mesma. Juntos desta maneira, vocês ficam na forma de um arco e de uma flecha. A excitação desta posição vem de sua novidade. Ela pode aumentar a sensação pressionando e massageando os dedos do pé dele ou ele pode percorrer seus dedos nas costas dela abaixo. Se vocês sentirem um senso de liberdade e anonimato nesta posição, extraiam o máximo dela entregando-se à sua fantasia favorita.

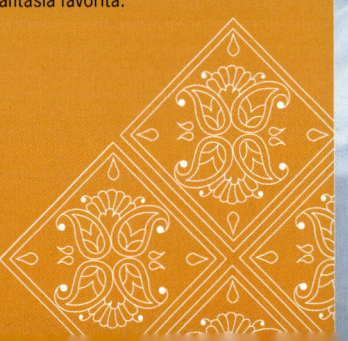

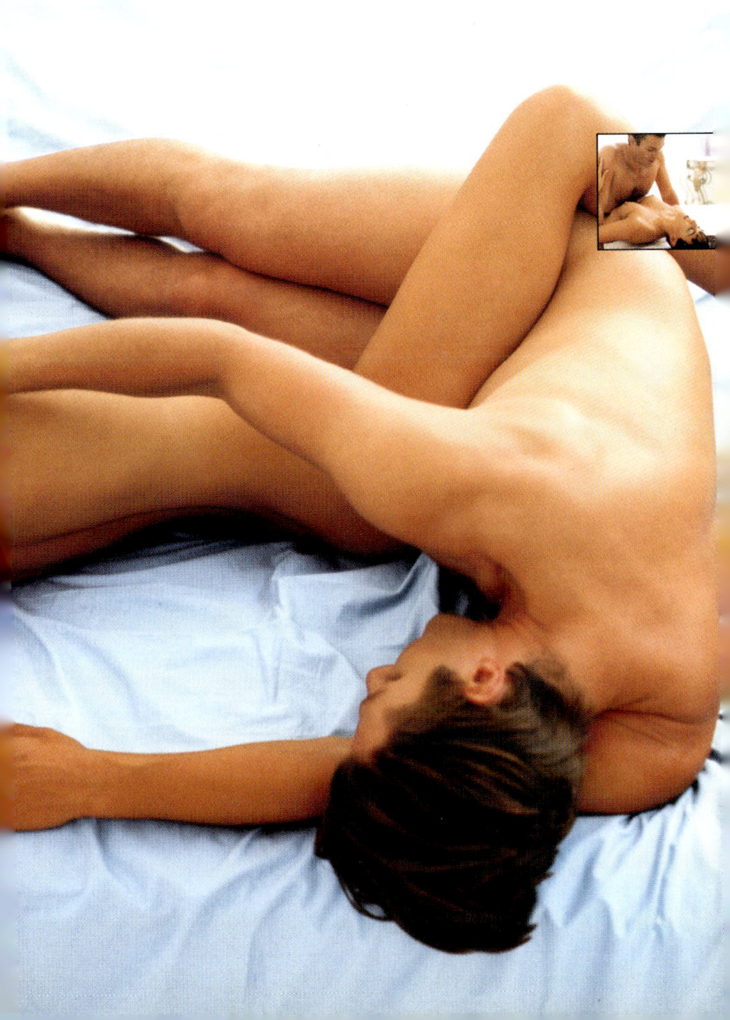

Índice remissivo

Amplexo com as coxas 28-29
Amplexo com os pés 36-37
Ananga Ranga 10-11, 40, 103, 129
Ato de união, O 52-53
Ato sexual de união com apoio 60-61
Ato sexual de união da vaca 64-65
Ato sexual de união suspenso 62-63

Barriga com barriga 74-75

Cavalgando o membro 140-41

Décima postura 138-139
Décima primeira postura 56-57

Elevação da perna 70-71

Fixando o prego 120-121
Fusão do amor, A 54-55

Genital 69, 97-99, 106-107
Grande abelha 102-103

Indrani, Posição de 86-87

Jardim perfumado, O 10-11, 52, 135

Kama Sutra 8-11, 16, 22, 86

Lingam (pênis) 86, 106-107

Massagem 26, 50-51, 88-89
Músculos do amor 15, 68-69, 84, 100, 131-132

Nona postura 72-73

Oitava postura 48-9
Óleos 23, 31, 50, 98, 106

Partindo um bambu 122-123
Penetração lenta e rápida 76-77
Ponto G 97, 127
Pose de elefante 96-97
Posição com as coxas pressionadas 100-101
Posição com as pernas cruzadas 104-105
Posição com pressionamento 24-25, 63
Posição em abertura completa 18-19
Posição contrária 40-41
Posição de acasalamento 26-27
Posição de amplexo deitado de costas 14-16, 24
Posição de amplexo lado a lado 16-17
Posição de arco 38-39
Posição de égua 84-85
Posição de elevação 94-95
Posição de levantamento 128-129
Posição de envoltório 118-119
Posição de grande abertura 80-81
Posição de grande abertura (2) 82-83
Posição de lótus 124-125
Posição do caranguejo 20-21
Posição pressionada 90-92
Posição semipressionada 92-93
Posição sentando no topo 130-131
Posição transversa 30-31
Posição vertical, usando os joelhos e os cotovelos 66-67
Primeira postura 44-45
Puxando o arco 142-143

Quarta postura 110-111
Quinta postura 46-47

Roda do Kama 34-36

Segunda postura 108-109
Sétima postura 134-135
Sexo oral 55, 126-127, 136-137
Sexta postura 112-113

Terceira postura 132-133

Visão mútua das nádegas, A 114-115

Yoni (vagina) 98-99

Impressão Neo Graf